U0551945

目錄
CONTENTS

第一章	華都藝術中學	005
第二章	神奇物種	039
第三章	常在麵館	066
第四章	早熟	093
第五章	醉意	121
第六章	Silent Dancing	150
第七章	舞	178
第八章	野狐狸	210
第九章	班長，你愛哭嗎？	244
第十章	表白	287

第一章 華都藝術中學

徐雲妮站在學校門口。

烈日當頭。

今日的太陽跟她的心情差不多，表面的平靜下，藏著絲絲炸裂。但是，就跟人無法用肉眼看清太陽風暴一樣，以徐雲妮的性格，這種炸裂不太會直接體現在臉上。

她背著書包，看看大門口的牌子。

石製，不小，上面刻著的六個大字──「華都藝術中學」。

不久前，徐雲妮搬家了，原因是她的母親李恩穎女士正式敲定了新男友，硬拖著她來到男方所在的城市。本來徐雲妮說自己高三了，還有一年就要升學考，不想換地方。但李恩穎說不用擔心，妳這個後爸相當有實力，轉個好學校只是灑灑水，妳就來吧。

徐雲妮本來要去的學校叫「華衡」，一字之差錯頻了。確實是灑灑水，只是灑錯地方了。

她知道後去找李恩穎要說法，李恩穎說先念著。

徐雲妮一頭問號，李恩穎告訴她，一不小心搞錯了，最近幫妳叔辦事的人有點忙，最多三個月，肯定轉走。

「放心，有實力！」

徐雲妮看著不太可靠的李恩穎，再想想那個更不可靠的趙博滿，對此「肯定」深表懷疑，但也沒說什麼，李恩穎精神脆弱，今年好不容易好轉了一些，受不了刺激。徐雲妮自我消化幾天，便坦然接受了。

什麼學校不是學校？課程都念完了，複習而已，在哪都是上。

抱著隨遇而安的心情，徐雲妮踏入校園。

她苦中作樂，欣賞風景。華都校園規模不算大，不過很漂亮，操場視野開闊，設施齊全，環境相當不錯，周邊半圈種滿綠植，叫不出名字的小花入秋了也開得很積極，輕盈的紅色點綴在藍天和綠地中間，格外養眼。

現在正好是早上上學的時間，學生們閒閒散散往教學大樓走去，徐雲妮跟著大家往前，不多時，發現一個問題。

周圍稀鬆的人流好像不知不覺朝著同個方向聚。

徐雲妮順著看過去，那有個女生，身材瘦小，走路低著頭。她後面跟著兩個學生，一男一女，手裡拿著什麼東西。

徐雲妮仔細看看，彩色的，像是從雞毛撢子上拆下來的羽毛。

兩人快走了兩步，貼在女生身後，將這東西往她校服下面一黏。然後這女生一走路，這東西就跟著晃。

周圍的人看見了，湊在一起竊竊私語。

那女生感覺到什麼，轉過頭正好跟徐雲妮看個正著，一臉不明所以。四目相對，幾秒後，徐雲妮走過去，將那羽毛拽了下來。

女生後退兩步，一看她手裡的東西，頓時臉紅。後面兩人見到這幕，冷著臉看向徐雲妮。周圍站了幾個人，議論紛紛，那女生覺得有些丟人，抬起一隻手稍稍擋住臉。

這時，校園門口，一個人走進來。

他正打著哈欠，後面又追過來一人，喊他。

「時訣！」

時訣腳步不停，吳航跑過來，一個餓虎撲食從後面把人抱住，摘了他一個耳機。

耳機裡傳來清晰的音樂聲。

吳航說：「這麼大聲，你不怕聾了？」

時訣顯然很睏，懶得開口，伸出手。

時訣剛要把耳機還回去，忽然注意到什麼，示意前面，說：「哎，好像有熱鬧。」

時訣瞥過去。

那邊圍著幾個人。

吳航：「那不是六班的丁可萌嗎？」

丁可萌右邊站著兩個學生，左邊站著一個，右邊那兩人很熟悉，左邊那位倒是有些陌生。

那女生穿著華都的制服，背著皮製書包，紮著低馬尾。這個角度看不到正臉，背影不胖不瘦，個子高，目測少說有一百七，陽光之下，筆直地站在人群中央。

她手裡拿著一根羽毛模樣的東西。

再看看丁可萌和那兩個學生，大體能猜得出發生了什麼。

丁可萌低著頭，好像很緊張，嘴裡不停嘀咕著。

周圍的人越來越多，小聲說話，丁可萌有點受不了了，她將校服領口拉高些，試圖遮擋臉頰。

徐雲妮見了，有些不解，說道：「怎麼也不該是妳見不得人吧？」她拿著羽毛，轉向旁邊兩人，「同學，你們這是幹嘛呢？」

那兩人沒說話，可能臉皮不算厚，被這麼圍觀，臉上有點掛不住。

見他們不回答，徐雲妮拿起惡作劇的道具，問丁可萌：「是妳還，還是我替妳還？」

聲音不算大，語速也不算快，相當平常的音調。

吳航問：「哪來的正義使者？」

第一章　華都藝術中學

時訣沒說話。

吳航：「我們學校的?」

時訣：「不是穿著校服嗎?」

「不可能啊⋯⋯」吳航琢磨著,「有這號人物怎麼一點印象都沒有呢?」

時訣沒說什麼,把吳航手裡的耳機拿過來,重新戴上,往教學大樓走。

吳航追過去:「哎哎!等等我啊。」

他們一路進到教室。

教室裡算不上安靜,吳航剛落座,就跟後座同學聊起昨晚的球賽。

上課鐘響了。

一個學生進了教室,說:「哎,你們知道嗎?我剛路過教務處,我們班要來轉學生了。」

吳航正在聊天,聽到這話,馬上回過頭。他本想跟時訣聊聊,但時訣一直戴著耳機,吳航知道他在忙,就沒打擾。

又過了一下,班導師進來了。

時訣又聽完一遍歌曲,睏得再次打哈欠,朦朦朧朧間抬起眼,看見班導師帶著那女生走進來。

一個簡單得不能再簡單的清晨。

窗外有鳥在叫,太陽緩慢爬升,耳機裡響著單曲循環的低劣流行曲。

三班的班導師是個四十幾歲的理工男，本名姓張，但學生私下都叫他「華老闆」。因為他的眼鏡永遠架在鼻梁下半部，看人總是微抬著頭，情緒容易激動，每次瞪眼的時候還有那麼一點點鬥雞眼，特別像《唐伯虎點秋香》裡面的華文、華武。

華老闆站到講臺上，清清嗓子，對下面說：「今天班裡來了新同學啊，叫……」想了一下，沒想起來，他問那女生：「妳叫什麼？要不要介紹一下？」

「好。」女生轉向全班，非常大方地自我介紹道：「大家好，我叫徐雲妮，是從外地轉學過來的，非常高興能來到華老闆這個新團體。都說高中是一個人學習生涯中最美好的時光，我也希望能在這個緊張又充滿希望的高三生活中——」

「Blablabla……」

秋意深濃，日光正好。

洋洋灑灑，沒完沒了。

華老闆總結：「嗯，徐雲妮同學是從外地轉來的，大家多多照顧，要互幫互助。那個，馬上上課了，妳就直接入座吧。」

徐雲妮看向華老闆，兩人對視幾秒，華老闆說：「還有事嗎？」

徐雲妮好聲詢問：「請問老師，我坐哪？」

吳航忍著笑：「我們華老闆小腦問題越來越嚴重了。」

「哦，」華老闆這才想起來沒安排座位，他架著厚厚的眼鏡片，掃了一圈，「我看看啊，

妳坐哪呢⋯⋯」

他選了一陣子，徐雲妮不理解為什麼要選這麼久，明明有不少空位，她說：「老師，不是全是空位嗎？我坐哪都行。」

華老闆：「這些座位都有人，有事沒來。那個，妳近視嗎？」

徐雲妮：「沒近視。」

華老闆指著後面倒數幾排的位子，「那妳先坐那吧，我過幾天再調整。」

徐雲妮點點頭：「好。」

她下了講臺，走過走道，一陣風一樣。

沒多久，開始上課了。

上了半天課後徐雲妮才知道，班裡沒來的人大部分都去集訓了，華都的學生裡有八成是藝術類考生，現在是高三上學期，不少人開始衝刺專業考試，學校的課程安排很配合，一天中只有較短的時間做學科複習，用的教材難度也偏低。

下午，徐雲妮看著班導師發給她的百日學案，決定今晚自己再制定一份複習計畫。

牆上的時鐘滴滴答答。

轉學第一天，就這麼不痛不癢過去了。

華都沒有強制晚自習，自願留班，也可以去練習藝術專長。本班貌似學習風氣不濃，放學鐘一響，人基本都走光了。

校門口人流攢動，學生三五成群，有說有笑。

時訣走出校門，來到馬路對面的便利商店，剛走到門口，裡面出來個人，欸一下從身邊晃過，一道閃電似的。

他微側過身，徐雲妮背著書包，嘴裡咬著剛拆開的三明治，大步流星離去。

手機震動，時訣看著那背影，一邊接通電話。

電話是崔浩打來的。

『你放學沒？』

「剛放。」

『那過來一趟。』

「幹嘛？」

『請你吃飯。』

以時訣對崔浩的瞭解，這個時間叫他過去肯定不是為了吃飯。

崔浩催促道：『別磨蹭啊，馬上過來。』

華都藝術中學離崔浩那邊不算近，幾乎橫跨半個市區，不塞車來回都要一個多小時，時訣犯懶，沒事的時候不會過去。

第一章　華都藝術中學

地鐵轉公車，大概四十分鐘後，時訣下了車。下車後又走了一下。

這一帶是本市老牌商業區，非常繁華，商店街上燈影閃爍，全是光汙染。大街上滿滿都是人，年輕人偏多，連體嬰似的，你抱著我我摟著你，黏膩放閃。

不多時，他來到一幢矮樓前，矮樓一樓是間電玩城，旁邊是家酒吧，側面有條巷子，走進去後兩邊還有幾棟舊大樓，矮樓外側是金屬外置樓梯，特地保留上個世紀的風格型建築，在路燈照耀下，有點廢舊工業區的味道。

時訣兩手插口袋，來到一個塗著塗鴉的門前，踢開擋路的空飲料瓶，推門而入。裡面隱隱傳來音樂聲。

店裡看起來比外面寬敞一些，一條走廊筆直向前，兩邊有幾間大小不一的教室，走廊牆上貼滿了各種照片、搞怪塗畫，還掛了一堆獎牌獎狀。

進門左手邊是前檯，牆上嵌了一個用霓虹燈拼出的店鋪 LOGO——Silent Dancing。

這家店原本的名字是 HUMM，形容轟鳴的聲音，今年年初被崔浩改成了這個，時訣問過他為什麼要改，崔浩對此的回應是——關你屁事。

前檯裡坐著一個短髮女人，此刻臉色不佳，外面靠著一位明豔熱辣的女士，兩人正聊著天。這是崔浩的好友兼合夥人魏芊雯，以及店裡的 jazz 老師 Delia。

時訣與她們打招呼。

Delia說：「你哥在裡面呢，你過去吧。」

時訣路過走廊，兩間教室都在上大課，鼓樂聲震得人胸口發麻。他來到黑漆漆的休息區，有個人背對著坐在沙發上，正在用手機。崔浩嚇一跳，手機險些脫手，緊皺眉頭罵道：「幹他媽什麼呢！」

時訣走過去，乾癟的書包往旁一丟，垂直落進沙發。蠻有彈性，還顛了一下。

崔浩是SD舞社的老闆。

不過他長得完全不像跳舞的，倒像混黑道的，練舞二十幾年也沒能中和他濃烈的街頭氣質，他個頭不算高，偏瘦，面相凶，透過「相由心生」可粗略推得，脾氣也較為暴躁，為數不多的耐心全部偽裝給了學員。

崔浩穿著一件黑色短袖，外面套著一件薄襯衫，襯衫皺巴巴的，看起來好久沒洗過，主要是為了在學員家長面前遮那兩條花臂。

他這麼一瞪人，十個人裡九個都會哆嗦。

時訣就是剩下那個。

他上一天學有些累了，連個像樣的表情都不願意擺，癱在沙發上。

「不是要請我吃飯嗎？飯呢？」

崔浩沒理他，接著傳訊息。

過了一下,他手機一收,點點他,說:「找你來有個事啊。」時訣頭偏到一旁,就知道。

「你等等幫我代個課。」崔浩說。

「什麼課?」

「上週末的那個,破歌聽得我都要吐了,後半部分你搞了沒?」

崔浩略微思索,說:「正弄著呢,無所謂,一半也夠用了,她肯定學不完的。我們約了今晚,但我這邊突然有急事,等等要出去一趟,你替我撐一下就行。」

時訣皮笑肉不笑,說:「好一個『過來一趟,請你吃飯』。」

崔浩擺手,「人已經到了,就在樓上呢,你去吧。」

時訣起身,準備往更衣室去。

「哎,對了,」崔浩又叫住他,囑咐說:「她脾氣有點怪,你順著來,穩住她等我回來。她要是問我去哪了,你就說我去改音樂了。」

時訣聳聳肩,往外走。

他去更衣室換了身運動服,穿越走廊回到店門口,前檯後就是樓梯。時訣跟魏芊雯要了一頂帽子扣在頭上,上了二樓。

SD二樓不對外開放,是崔浩接一些比較重要的專案所安排的地點。這層只有一間大教

室，門口放著幾株綠植。二樓環境較好，相較一樓安靜許多，走廊上鋪著隔音的毯子，空氣裡瀰漫著淡淡的清香。

時訣來到練舞房門口，敲敲門。

一個戴眼鏡的年輕人開了門，看見時訣，有點詫異，問：「你是誰？」

時訣說：「你好，是崔老師安排我來的。」

年輕人看起來像是助理，讓開身子，「你先進來吧。」

屋裡還有一個女人，看年紀大概二十七八歲上下，穿著運動服，翹著二郎腿在音響旁滑手機。

時訣朝她行了禮，說：「林老師好，崔哥讓我先來跟您對一下舞蹈的前半部分。」

林妍從手機上抬起頭，上下打量他，問道：「崔浩呢？」

時訣說：「崔哥在跟音樂那邊溝通，曲子後半部分的節奏可能還要調整一下。」

林妍又問：「他的音樂通常都是找誰改的？」

時訣說：「哦，他的音樂通常都是找我。」

時訣說：「崔哥合作的音樂人還挺多的。」

這是崔浩剛編的藉口，編得不算細，大概是認為以林妍的性格，不會關注詳細調整內容。

果然，林妍沒有繼續問下去。

她笑著說：「崔浩還挺用心的？」

時訣也笑著回應：「崔哥對待工作一直都很認真。」

助理關好門，時訣過去打開音響，轉身對林妍說：「那林老師，我們先來熱下身吧。」

計程車停在一片住宅社區前。

社區名字「頌財公館」，惡俗，但貴，從正門開始，一路要刷四五道關卡才能進去家門，探監都沒這麼多道程序。

徐雲妮走在路上，周圍栽滿綠茵，吸收了社區內本來就沒多少的聲音，靜謐非常。

最後，徐雲妮停在一幢小別墅前，裡面亮著燈。

徐雲妮按門鈴，保姆張阿姨來開了門。

徐雲妮換了拖鞋進門，路過餐廳，趙博滿熱情地舉起手，「妮妮！放下書包快來吃飯吧！」

徐雲妮先跟他們打招呼，「媽，趙叔，我先上樓整理一下，馬上就下來。」

趙博滿樂呵呵的：「好，好。」

他目送徐雲妮上樓，轉頭跟李恩穎小聲說：「還好，其實之前我還有點心虛呢，怕妮妮

因為學校的事怪我。我跟妳說，我前幾天一看她後背就出汗。」

李恩穎說：「你也太誇張了，還出汗，學校回覆得太慢，唉，老爺子沒了之後確實……」

趙博滿：「我知道，我正聯絡呢，反正你快點幫她往外轉吧。」

李恩穎拍拍他的手臂，安慰道：「別想那些。」

「好好，都聽妳的，」趙博滿又說：「妮妮被妳教得真好，哪像我家那個小子，」他往樓梯方向看看，「吃飯都喊不下來。」

李恩穎拆著碗裡的螃蟹，說：「小帥也挺好的啊，愛好廣泛。」

「什麼廣泛，天天瘋玩！」

「年底又要去他媽媽那邊了吧，在國外也是大手大腳的，都被寵壞了，」

妮妮懂事，成績好又有禮貌。就是看起來有點嚴厲……嗯，也不是嚴厲，就是有點……」他欲言又止，李恩穎說：「我懂你的意思，我女兒看起來是有點冷，她從小到大都這樣，小時候我還帶她去醫院查過，什麼問題都沒有。後來別人介紹給我一個大師算了一下，人家說她有點『犯孤星』。」

「啊？什麼意思？」

「反正就是性格有點直，不容易親近？我沒記住，後來那大師詐騙被抓進去了。」

「哦哦！這種都是要騙妳給錢的，不能信！」

「當然不能信，你相處久了就知道了，妮妮其實特別熱心，就是臉上不太顯現。」李恩穎頓了頓，又說：「有點像她爸，從小就是。」

趙博滿一聽這個，趕快轉移話題，「哎，妳有沒有問過妮妮想不想出國？她有什麼理想職業嗎？法律？金融？這次我提前找人幫忙聯絡一下，肯定不會出問題！」

「她的事都自己做主，有需要會跟你說的。」

「我就怕她不好意思開口。」

「那不可能的，你放心好了，我女兒終極務實，沒人比她更會利用資源。」

此刻，又熱心又務實的徐同學已經上了樓。

轉角處碰到從房間裡出來的趙明櫟。他低著頭用手機，頂著亂糟糟的雞窩頭，戴著耳機一邊走一邊說話，腳下歪七扭八走不了直線，徐雲妮拚命躲也沒躲開，終究撞上了。

「哎！呀呀呀呀！」趙明櫟絆了一下，趕緊往旁邊站，他以為是張阿姨，結果一抬頭是徐雲妮，「啊，妳回來啦。」

趙明櫟比徐雲妮小一歲，其最大特點就是趙博滿形容的愛玩，性格大大咧咧，有那麼點紈褲，但尚在控制之內。

徐雲妮問：「不吃飯嗎？」

趙明櫟抓抓雞窩頭，說：「你們先吃吧，我等你們吃完再下去，我爸太能嘮叨了！」

徐雲妮點點頭，就上樓了。

她回到自己的房間，簡單洗手洗臉，換了身衣服。屋裡有些亂，擺了不少箱子，她剛搬過來不久，東西還沒整理完。她沒讓保姆收拾，習慣自己整理，因為又要忙轉學的事，只能一天理一點。

看看時間，徐雲妮擼起袖子，決定五分鐘內弄好一個箱子，再去吃飯。

她手腳俐落拆箱搬書，拿著拿著，露出底下一張照片。

這是他們一家三口的合影。

徐雲妮看著照片，陷入回憶，這是哪一年？

徐雲妮難得從工作抽身，回來陪她過生日。照片裡的徐志坤，皮膚棕黑，高大硬朗，他站在李恩穎和徐雲妮身後，一雙強健的手臂將二人完全包裹起來。

徐雲妮拿著照片看了一陣子，越看越覺得自己的表情實在有點呆，還是李恩穎最漂亮，紅紅的嘴唇，彎彎的眉眼，搭配著深藍色的絲絨連身裙，像一朵深夜裡盛開的花，既優雅又美麗。

徐志坤沒有笑，倒也不能說沒笑，只是沒有傳統意義上的「笑」，對熟悉他的人來說，他這放鬆的神態，就等同於他在笑了。

徐雲妮的父母是完全相反的類型，李恩穎的家庭條件好，從小被寵著長大，身心嬌貴，性格天馬行空，甚至有點無厘頭。而徐志坤則很早就沒了父母，基本上是白手起家，從前當

兵,後來進了檢察院,一直奮鬥在第一線,沉穩老派,堅韌不拔。兩人教育理念不同,李恩穎主打愛與自由,通俗講法就是放養。徐志坤則是嚴厲刻板,李恩穎懶得跟他爭,於是徐雲妮的童年就全栽在徐志坤手裡了。他各方面的要求都是最嚴格的,徐雲妮稍微犯錯就會挨揍,手心屁股沒少開花。徐志坤的戰友看到都開玩笑說:「你這是帶兵還是帶孩子?」

徐雲妮卻一點也不討厭這種教育方式,並認為這種生活會永久持續下去。

但是人生的意外來得很快。

徐雲妮沒想到,這竟然是徐志坤陪她過的最後一個生日。往後一年的生日,徐志坤因為工作沒有回來,而第二年,他去世了。

沒有什麼盪氣迴腸的故事,這個鐵骨錚錚的漢子是病死的。

腦瘤。

從發現,到兩場手術,再到死亡,僅僅半年多。

快到讓人反應不過來。

徐雲妮牢牢記得他最後一次清醒的時候,對她說的話——「爸爸往後不能看著妳了,妳要照顧好自己和媽媽。妮妮,不要哭,以後的生活不可能一帆風順的,不管遇到什麼事,都要堅強一點。」

門口有人敲門。

張阿姨在外說：「徐小姐，吃飯嗎？我剛剛幫妳重新熱了湯，怕等下又涼了。」

「徐小姐」這個詭異的稱呼讓徐雲妮後頸麻了一下。

她對張阿姨說：「馬上，我這就來。」

張阿姨走了，徐雲妮的目光重新落回照片上。

放哪呢？

這張照片很珍貴，之前的家裡，徐雲妮都放在床頭。

她想了想，還是決定把它收在箱底。

當年，徐志坤的突然離世讓李恩穎徹底崩潰，李恩穎從小沒吃過什麼苦，這突如其來的打擊讓她緊張、失眠、焦慮、憂鬱。那段時間她連話都不說了，像是驚弓之鳥，一點點事情就怕得不行，光是聽到「醫院」兩個字都能嚇得手腳冰涼，渾身發抖。

徐雲妮來不及為父親的離去感到哀傷，就要履行答應他的那句「照顧好媽媽」。

那段時間太過混亂了，李恩穎經常犯迷糊，比如過馬路時不看車，或者燒水的時候把電熱水壺直接放到灶臺明火上。

徐雲妮盡可能不離開李恩穎，貼身照顧她。

有一次，她連續三十幾個小時不睡覺，下樓時差點栽了下去。

在大家都要撐不住了的時候，徐雲妮的外婆過來了，說自己以前工作的學校最近要舉辦校慶，邀請不少校友。那也是李恩穎當年就讀的學校，外婆硬是把李恩穎推去參加活動，讓

她散心。

在那次活動上，李恩穎見到了趙博滿。

趙博滿和李恩穎從小認識，一直當同學，到高中才分開。他的家庭條件比李恩穎好一點，父母認識李恩穎爸媽，算是知根知底。趙博滿跟徐志坤是完全不同的類型，是個和顏悅色的老好人，說好聽點是脾氣好，難聽點就是任人宰割的小綿羊。

趙博滿的出現改變了一些情況。

彼時趙博滿已經離了婚，孤家寡人，他對李恩穎展開追求，李恩穎拒絕了他，但他沒有放棄。

幾年下來，他與李恩穎兜兜轉轉，最終還是走到了一起。

徐雲妮多少知道一點趙博滿的事，他現在在做醫藥方面的生意，不過基本是掛個名字，不怎麼工作。他被前妻嫌棄性子軟，沒本事，年紀挺大了還像個沒出社會的大學生，幼稚天真，工作的底子全靠他爸的關係維持。

前妻家庭條件也好，選擇多，沒幾年就跟他離婚了。

去年趙博滿父親心臟病去世，對他家打擊頗大，趙博滿現在都要偶爾出去跑跑業務了，但畢竟底子還在，暫時沒影響他們過日子。

一開始徐雲妮不太明白，為什麼在與徐志坤那樣的男人相伴多年後，李恩穎還會喜歡上趙博滿。相處一段時間後，她大概理解了，有的時候，人的缺點也能變成優點，趙博滿這種

絲毫沒有攻擊性的軟綿黏人的氣質，可能正是李恩穎目前所需要的。

趙博滿在徐雲妮心中肯定不能與徐志坤相提並論，但他確實在他們家最困難的時候提供了幫助，對自己也相當不錯，徐雲妮是心懷感謝的。她不知道李恩穎跟他未來會如何，她希望他們可以順其自然發展下去，她一直盡力配合。

收好照片，徐雲妮下了樓。

SD舞社內。

時訣的課還沒結束。

崔浩跟他說過，林妍要參加一個電視節目，裡面有段劇本是她在商場做臨時演出，要根據商場放的歌曲進行 freestyle。

當然了，真正的 freestyle 是不可能的，曲子已經事先準備好，時間大概兩分半。上個週末崔浩拉著時訣敲定了前半部曲子的內容，因為不能有太明顯的編舞痕跡，所以整體風格自然隨性，還要適當加入些停頓。

時訣看著林妍的表現，耐心解釋說：「林老師，這個停頓不能完全停下，這是表現您在思考音樂，要適當加入一些身體律動，您根據自己的風格來就可以了。」

林妍擺手:「別,你們都編好了,可別讓我自己想,我累死了。」

「好的,」時訣想了想,而後打了個響指,「那這樣吧⋯⋯」

整場教學情況跟崔浩分析的差不多,林妍今天不可能學完第一段內容。

猛練了一陣,林妍體力透支,時訣看她滿頭是汗,說:「我們先休息一下。」

林妍累得說不出話來,點著頭往旁邊走,後面的助理連忙跟過去。林妍癱坐在沙發上,助理在她身邊幫忙擦汗,將打開的水瓶遞給她。緩了大概三五分鐘,林妍喘勻氣,看向站在鏡子前那個沒有絲毫疲態,還在確認動作的年輕人。

她從頭到腳掃了一遍,問道:「我怎麼沒見過你啊,你是這的新人嗎?都教什麼啊?」

時訣回過頭:「我在這有些日子了,偶爾上課,主要教小孩。」

林妍意有所指地說:「該讓你教大人啊,帶小孩不是可惜這條件了?」

時訣笑了笑。

他戴著帽子,不太容易看得清面孔,林妍就盯著他的脖頸、肩膀,和下半張臉看。

「你跟崔浩是什麼關係?你的舞是他教的?」

「不完全是,崔哥教了我一半。」

「那剩下一半呢?」

時訣隨口道:「各個地方學了點,後來到了這,就跟著崔哥了。」

林妍點點頭,讚賞道:「你跳舞比崔浩好看多了,崔浩身材太差了,比例五五分,拿再

時訣說：「您別這麼說，崔哥的實力比我強多了。」

林妍起身往他這邊走，接著說：「崔浩的毛病不只是身材差，我跟他認識這麼長時間，他現在腦子越來越不好了。」

不知不覺，林妍已經走到時訣面前，帶來一股非常濃烈的香氣。

「我問你，你喜不喜歡這個編舞？」林妍問。

時訣垂著眼眸看她：「我覺得這個舞蹈的編排很適合老師您的風格。」

林妍稍彎下腰，歪著頭，眼睛上挑，想要看清他帽檐下的樣貌。

「確實長了一張適合騙人的臉……」她念叨著，「脖子真長，唉，還是年輕好啊，稍微運動一下皮膚就跟透著光似的。」說著說著，她語氣忽然轉冷，「我問你，崔浩的精力是不是都放在那個小模特兒身上了？」

時訣：「什麼？」

林妍冷冷道：「我都看到了，一個三流綜藝，舞臺打磨到那種程度，不管音樂還是舞樣樣拿得出手，結果對別人就這麼敷衍。怎麼，是我錢沒付夠嗎？」

時訣知道崔浩對林妍這個工作不夠用心，崔浩總覺得林妍蠢，什麼都看不出來，現在突然被指出，時訣居然忍住，笑了一下。

林妍看著他彎起的嘴角，好像也被帶動著，語氣輕鬆道：「我看你功底不錯，要是崔浩

真的太忙的話，你有沒有興趣來編舞？」她手指不經意在時訣身上一戳，時訣往後退了退，後背貼到鏡子上。

林妍的助理拿著毛巾和水瓶，安安靜靜站在角落。

時訣笑著說：「這恐怕不行，接私活我要被罵的。」

林妍覺得他的嗓音很好聽，不管說什麼，總是那種不急不徐的腔調，音色清澈，含著磁性，而且可能是聲帶使用天生就是正確的方式，說話還隱隱帶著共鳴，在她這種歌手的耳朵裡，有意無意的，簡直像是在按摩一樣，聽得她渾身舒服。

他的一切反應都像是鼓勵，林妍又往前半步，說：「管得這麼嚴嗎？你們簽合約了嗎？」

不待時訣開口，舞房的門開了，崔浩回來了。

他一進屋看見這種場景，趕忙快走了幾步，站到林妍和時訣中間打圓場。

「……哎呦，姐，姐，一個小屁孩，什麼都不懂，妳別跟他一般見識。」

其實崔浩年紀比林妍大，但這聲姐還是要叫。

林妍細眉微抬：「說什麼呢，搞得像怎麼了一樣，有什麼事啊，什麼事都沒有。」

「好好，沒事就好，沒事就好，我是怕他不會教，讓妳不滿意了。」他遞了個眼神給時訣，「你走吧，接下來我來。」

時訣又朝林妍低了低頭，說：「林老師再見。」

林妍笑著回應：「再見。」

和樂融融。

離開練習室，關上身後的門。

周圍瞬間安靜下來。

時訣摘下帽子搧搧風，還是覺得有股味道了，也可能是長年累月醃入味了，再加上她出了一身汗，氣味就更嗆了。他不清楚林妍今天有沒有噴香水，可能噴了。

他走到盡頭的洗手間洗了把臉。

下了樓，Delia 正在與魏芊雯小聲說話，他從前檯拿了瓶運動飲料，坐進沙發裡。

魏芊雯的視線瞄向樓上，問時訣說：「你知道你哥剛才去幹嘛了嗎？」

時訣想起剛才林妍的話。

時訣：「不知道。」

魏芊雯說：「你哥去年在一個活動上認識個小模特兒，一直聯絡到現在，人家比他小了十四歲，還沒你大呢！」

時訣「呵」了一聲，說：「真行。」

魏芊雯被他這反應搞得十分無語，Delia 在旁邊笑，說：「雯姐妳問錯人啦。」

魏芊雯不放棄，更進一步說：「年紀小，早早不讀書了，在圈裡混，崔浩現在追人追得起勁，花錢如流水，還以為自己情聖附體呢，你勸勸他吧！」

時訣把水瓶放一旁：「我勸得動他？」

魏芊雯威脅說：「年底店鋪還要裝潢，再讓他這麼花下去，課程鐘點費都要出問題了，到時候你哥肯定先賒你的帳。」

時訣像模像樣質疑一聲：「別吧。」

魏芊雯忍不住用手掌拍拍桌面。

時訣看她不依不饒，終於點點頭，說：「行，那我去說一說，賒帳可不行。」

雖然嘴裡是這麼講的，但看不出有幾分認真。

外面進來了人，約了體驗課，魏芊雯帶人去參觀舞社環境。

剩下 Delia 和時訣。

「你怎麼一點都不八卦呢？」Delia 問。

「八卦什麼？」

「那個小模特兒啊，我見過她，長得跟有村架純一模一樣，全方位戳中老崔癖好。這次他好像是來真的了，所以雯姐有點不高興，你體諒體諒。」

時訣不置一詞，靠到沙發裡。

Delia 評價說：「你要麼真去勸勸？我也覺得有點不可靠。」

時訣翹著二郎腿滑手機，說：「他高興就談，真被玩了就分唄，有什麼可勸的。」他從手機上看來一眼，「該是妳勸勸雯姐，這種事外人越插手他越起勁。」

旁邊飲料櫃的燈照在他的側臉上，泛著清淡的光。

Delia小小挑眉，沒再說什麼。

過了一下子，魏芊雯回來了，手裡拿著一袋剛買的漢堡，交給時訣。

他三兩口解決掉。

魏芊雯問他：「你要回去了嗎？」

「在這待一下，」時訣躺在沙發上，「都出來了，回去也沒事。」

到了晚上大課時間，學員陸陸續續來了，今晚有青少年組的課，都是十四歲到十八歲的學生，這也是舞社裡最活躍的一批人。

幾個女生嘰嘰喳喳結伴進了店，年紀都不大，一股青春氣息。她們一看見前檯後面沙發上躺著的時訣，頓時收聲，捂住嘴，有點激動地相互抓手臂。

Delia把一堆手牌舉高晃了晃，說道：「美妞們，跟我上課去啦，他有什麼好看的！」

學員們嘻嘻笑著，拿走手牌。

Delia帶著學員們離開，後面還站著一個女生，只有十三四歲，已是出水的芙蓉，臉上還殘留著嬰兒肥，氣質很安靜，的美人胚子，一頭烏黑披肩的長髮，容貌清純美麗，藏不住這是崔浩的妹妹崔瑤。

「瑤瑤，來了？」魏芊雯笑著說。

崔瑤點點頭，不說話，往前檯裡看了一眼，就進到裡面去了。

魏芊雯看著她的背影，說：「這孩子怎麼越來越內向了。嘖，還是崔浩，太愛管人了，什麼都要安排，他也不想想他自己年輕時什麼樣子？我剛認識他那陣……」

時訣在沙發上翻了個身，悄悄戴上耳機。

就這麼躺了近一小時。

大課下課了，學員們熱熱鬧鬧跑出了教室。

路過前檯，一個活潑的找準時機往裡面鑽，魏芊雯眼疾手快，逮貓一樣把人拎了出去。

周圍的人在笑。

魏芊雯今年三十有二，圓臉圓眼睛，留著一頭幹練的短髮。她是崔浩多年好友，之前做過崔浩的經紀人，後來崔浩退圈開了舞社，把她挖了過來。崔浩沒什麼經營能力，只管技術教學方面的事，店裡的運營和各種活動，基本都是魏芊雯負責。

「小美女們，工作地點，閒人不得進入哈。」

那女生振振有詞：「不是閒人，我來拿水的！」

旁邊的人：「就是就是！」

嘰嘰喳喳，應接不暇。

時訣從手機上偏開眼，看向前面，「要什麼水，我拿給妳。」

那女生沒想到他會接話，「呀」了一聲，手扶著臉，激動地說：「你拿什麼我喝什麼！」

更衣室裡換好衣服出來的 Delia 聽到這句，學著女生的語氣往下接：「哥哥就算拿毒藥

女生猛點頭:「對對對對!來我也甘願了!」

大家被逗得前仰後合。

時訣已經習慣了,從沙發上起來,拿了瓶水過來。

女生剛要接,時訣又拿開點,有點好似地求證道:「真甘願嗎?」

女生一愣。

他說:「別騙我了。」水輕輕落到檯面上。

大家都在打趣逗樂,時訣也是,但他這兩句說完,原本奔放爽朗的女生臉突然像燒著了一樣,從頭紅到脖頸。

Delia 在旁說:「看到沒,少撩,撩不動的。」

學員們還是不想走,團團圍著時訣。

知道撩不動,多看兩眼也高興。不少人根本沒上他的課,也一口一個老師叫著。

Delia 已經披上了外套,手裡拿著包。她是兼職,來這上課純屬興趣愛好,白天還有別的工作。魏芊雯陪她出了店,Delia 最後看了後面那擁擠的畫面一眼,小聲道:「又開始營業了⋯⋯」

魏芊雯到門口送她,說:「營業好啊,不然這店能這麼有人氣?」

Delia 有點無語:「現在的小女生怎麼都喜歡這種涼薄的男子。」

魏芊雯：「不只學員喜歡，家長還喜歡呢！都回饋時訣上課認真，有耐心，盡職盡責。」

Delia：「賺錢的事他是超認真的。」

「當家的早嘛，」魏芊雯說：「他也不算涼薄吧，正事心裡都有數。崔浩以前說過，時訣只是從小經歷得多，比較難進他心裡。」

Delia 疑惑：「有人進去嗎？」

「有啊，崔浩啊，」魏芊雯笑著說：「時訣都把崔浩寵成什麼樣了，沒感覺出來嗎？」

崔浩從樓上下來，臉色極其差。

時訣問：「人呢？」

崔浩說：「跟助理從側面樓梯走了。」

崔浩走過來，學員們看出他心情不佳，不敢再鬧，還了手牌散掉了。

崔浩靠著冰櫃沉思片刻，問時訣說：「剛剛你跟林妍上課怎麼樣？」

時訣說：「她不太滿意。」

「我知道，平時隨便得要死，這時候又講究起來了。」崔浩又看看他，「你沒事吧？」

時訣好笑道：「我能有什麼事？」

「那就行，這群人真是一個比一個難伺候，這點錢賺的，真他媽的……」

魏芊雯送完 Delia 回來看店，崔浩朝時訣抬抬下巴。

「走，沒課了，陪我出去逛一圈。」

初秋的夜，微微清涼。

崔浩與時訣一路散步，來到一座跨橫道路的人行天橋上，橋很寬，站在上面往下看，是來往八車道的城市骨幹。

車輛和路燈組成了長長的金龍，穿遊在城市之間，疾馳而過的車子發出呼嘯聲。

他們站在橋上，時訣對著夜色舒展一下肩膀。

那邊崔浩則是一邊抽菸，一邊深深嘆氣。

嘆到第三遍的時候，時訣終於看向他，「你怎麼了？」

崔浩搖頭。

時訣問：「煩惱林妍的舞蹈？」

崔浩依然搖頭。

時訣：「還是感情出問題了？」

「沒追到嗎？你那個有架⋯⋯什麼純？」

崔浩皺著眉頭看過來，「說什麼呢？」

崔浩噴了一聲，他一晚憋了一肚子氣，再被時訣這麼調侃，恨得腦袋瓜都要炸了。他剛想罵幾句，忽然想到什麼，話鋒一轉，問：「你知不知道林妍剛剛跟我說什麼？」

第一章 華都藝術中學

時訣一看他那表情就知道話題要往什麼方向走,還是順他的意思接了話,「說什麼?」

「林妍問我你有沒有女朋友。」崔浩哼笑著,「她太喜歡你了,問你喜歡什麼類型的,我說這我哪知道啊。」

「你不知道嗎?」

「我上哪知道!」

「你不知道可以問啊,我喜歡比我小十四歲的。」

崔浩呼吸一滯,再看時訣那副無所謂的樣子,一股火沖得他心跳加速,他知道肯定是魏芊雯跟他說了什麼,硬把話題拗回來,「林妍說了,你要是有需要,她就幫你介紹。」

「介紹什麼?」

「女朋友!」崔浩哼了一聲,一臉你知我知的表情,「其實,也不是介紹女朋友,就是介紹……嗯,你懂吧?」

時訣看著他,忽然好奇道:「以前有人跟你說過這種嗎?」

崔浩一頓,時訣笑了:「沒有啊?」

一張清涼的臉,一道永遠擊不穿的防線。

崔浩的頭又疼起來了,這事要是這麼了結他晚上要睡不著覺了,他祭出絕招,掏出手機指著時訣:「裝是吧,你給我等著。」

時訣看他這姿勢,問道:「幹嘛?打給林妍啊?」

崔浩：「打給你媽。」

「哎，」時訣手從口袋裡抽出來，對他這行徑十分看不起，「你怎麼玩不起呢。」

崔浩看他這樣，終於滿意地放下手機。

跟時訣拌嘴，極難討到便宜，主要是性格使然，此人心薄臉厚，說什麼都不太容易刺激得到他，還好有他媽能搬出來。

雖然有點勝之不武，但是階段性吵架吵贏，崔浩心情還是順了點。

他們回到SD。

時訣又玩了一下才離開，到家已經快十二點了。

他悄悄進門，累得一屁股坐在沙發上，燈都沒開。月光從陽臺灑進，小客廳裡泛著寂靜的青灰。他乾坐了片刻，還是感覺很餓，那一個漢堡根本不夠吃。但他媽已經睡下，他怕弄出動靜吵醒她，猶豫了一下，還是直接回了屋。

結果第二天天沒亮，人就被餓醒了。

時訣從床上慢慢爬起來，揉揉腦袋。

他媽已經出門了，他去儲物間翻了兩包泡麵，再打兩個雞蛋，煮在一起風捲殘雲吃了。

收拾完桌子，洗完碗筷，看到客廳角落堆放的箱子，他過去看了一眼，發現是準備退的快遞。

他找來剪刀，直接拆了，把退貨的標籤連帶著包裝一起扔掉。

一看時間,還早。

他原本想吃完回去接著睡,但這麼一折騰,睡意全沒了。

他背著書包來到華都,踏入教學大樓。

因為太早了,一切都靜悄悄的。

他習慣走後門樓梯,上了四樓,轉進清冷的走廊——他停下腳步。

三班後門門口,有個人正偷偷摸摸躲在玻璃窗旁往教室裡看。

時訣慢悠悠走過去,伸腿過去磕了一下她的鞋幫。

丁可萌後背一縮,不滿地回頭,看見身後的人,瞬間臉上一僵,低頭跑了。

時訣目送她走,轉身往教室裡瞥了一眼。

一個坐得筆直的背影。

奮筆疾書,不動如山。

教室裡的徐雲妮老早就發覺有人在看她,忍到這時終於忍不了了,放下筆,回過頭,一下就捕捉到那道偷窺的視線。

他被發現了,也沒動。

徐雲妮問:「請問你要偷看多久?」

時訣停了兩秒,頭稍微往後轉了一下,又再次轉回。

對他這舉動,徐雲妮自動當成了被抓包後的推卸責任,說:「你往哪看呢?沒有別人了吧,你有什麼事就進來說唄,一直躲後面看什麼。」

時訣猜想,她很可能是把丁可萌的視線混淆到他頭上了。

現在該說什麼?

其實能說的內容挺多的,比如澄清自己,或者說剛剛丁可萌的事。

時訣張著因睏頓而半睜不睜的眼,看著教室裡那道直截了當的視線,淡淡開口,「我就看了怎麼樣?」

徐雲妮以為自己聽錯了,「你說什麼?」

時訣動動嘴角,重複一遍,「我說,我就看了,妳能怎麼樣?」

第二章 神奇物種

這次徐雲妮聽清了。

其實第一遍她就聽清了,只是出於某種常識性的考量,她才發出質疑。

沒想到是真的。

時訣從後門離開。

徐雲妮沒有繼續寫試卷,她覺得自己態度挺好的,可對方那句「怎麼樣」卻帶著一股濃濃的煙硝味,她感覺這事還沒完,所以她放下了筆。

她看著那人走進教室。

他穿著校服,又沒好好穿。

華都藝術中學的校服跟普通高中校服有些不同,很有設計感,裡面是襯衫,外面不是軟塌塌的運動服,而是藏藍色的休閒西裝,下身灰色長褲,版型帶著點剪裁。這人襯衫沒扣到頂,外套也敞開著,兩袖擼到手腕上方,晃晃蕩蕩走過來,往她旁邊的桌面上一坐,說是坐,其實是搭個邊,手沒從褲子口袋裡抽出來,就這樣看著她。

捫心自問,轉學第一天,站在講臺上往下看的瞬間,有沒有注意到這個人?

昨天放學的時候，推開便利商店大門的瞬間，有沒有注意到這個人？

有，但沒有特別注意。

不是因為不值，而是潛意識裡覺得不急。

可能是茫茫間的一種預感，有些人，既然出現了，早晚會被老天送到舞臺中央。

他的骨架發育得很好，年紀輕輕已然高大舒展，整體偏瘦，但不是年輕學生那種吃不胖的乾瘦，而是相當結實的瘦，徐雲妮猜想，他應該經常鍛煉。

他的腳就在她的座椅旁。

有點誇張的比例，看身高大概一百八十多，腿都快到她身邊了，竟然還沒有完全伸直。

一雙普通的低筒板鞋，應該穿了很久，倒是刷得很乾淨。

這時，前腳掌稍微翹起來一點。

然後又往地上「啪」的一落，蜻蜓點水般，像在跟她的視線打招呼。

她看回他的臉上。

無比標準的臉型，漂亮的眉眼，鼻梁窄高，白得驚人。他的眉毛在男生裡算相對較細的，但是很黑很直，加上狹長的眼睛，柔和了本有些高冷鋒利的面部線條。

憑心而論，無可挑剔。

這是徐雲妮現實生活裡見過的最好看的人。

此刻，他正帶著巡視領地見過的鬆弛和氣勢，俯視著她。

「要把我盯穿了，」由於睏乏，時訣聲音稍顯懶散，「差不多了吧。」

徐雲妮直視著他，「你攤開在這，不就是想讓我看清楚嗎？」

有點意外的發言。

不過在他們視線對上的這一刻，時訣沒太在意她說話的內容。

他的注意力最先集中在她的聲音上。

聲音聽起來跟第一天她幫丁可萌解圍時一樣，標準的女中音，音域廣，胸腔共鳴也不錯，特點是清晰平和，輸出穩定。

她依然紮著低馬尾，露出飽滿光潔的額頭，相當素的一張臉，全無修飾，一雙眉毛長而濃密，眼睛又大又圓，其中黑瞳仁的占比很大，無形中削弱了假正經的書呆子味，而增添了一絲直來直去的天然。

徐雲妮一句話說完，等著對方回應。

她等了大概，三秒……五秒？

對面還是沒出聲。

徐雲妮問：「請問你有什麼事嗎？」

時訣：「沒事啊。」

徐雲妮不解：「你沒事站在這幹嘛？」

時訣好像認真思考了一下這個問題，回答說：「為了讓妳看清楚點？」

徐雲妮沒明白他的意思，不等她琢磨出什麼，面前的人就彎腰靠了過來。

他遮擋著窗外的陽光，帶來一片陰影，也帶來一股暗暗的香。

他說：「也為了讓我看清楚點？」

徐雲妮聞著那香氣，聽著那不知道是不是故意壓低的、帶著磁性的嗓音，頭皮像被針扎中似的，絲絲麻麻抽了兩下。

徐雲妮盯著他的背影，剛要抬手，時訣已經直起身，走了。

她忽然反應過來，剛才——竟然直接從肩膀後面繞了下去。

比起剛才的抽象對話，這一下更讓徐雲妮錯愕。

什麼身體構造？

時訣小開了下肩，放鬆身體，舒舒服服坐到座位，戴上耳機，開始補覺。徐雲妮則是足足坐了半分鐘，才重新拿起筆。同時，在心裡對這人下了判詞——一個神奇的物種，從各方面來講。

清晨的教室，安安靜靜。

有人讀書，有人休息。

陽光慢慢爬升，覆蓋教室每一個角落。

第二章　神奇物種

同學們陸陸續續到來，稀疏的聲音，逐漸填滿教學大樓。

中午，華老闆把徐雲妮叫去辦公室，發了點資料，然後慣例詢問她適應得怎麼樣，徐雲妮說都挺好的。

華老闆說：「妳要是有什麼問題可以去找班長。」

徐雲妮：「好的。」

她等了一下，問下文，問：「老師，誰是班長啊？」

華老闆有些驚訝：「妳還不知道嗎？班長就坐在妳斜前方啊。」

斜前方？

旁邊一個老師路過，捧著熱茶，聽見他們的對話，笑著說：「全學校長得最帥的那個人就是你們班班長。」

華老闆忽然看到什麼，朝門外招手：「哎！吳航！時訣跟你在一塊嗎？」

吳航：「在！在！時訣，老師叫你！」

徐雲妮回過頭，看見一人走進辦公室。

神奇物種走到她身邊停下，華老闆介紹說：「他就是班長，叫時訣。那個，時訣，徐雲妮剛轉過來，對我們學校還不是很熟悉，你要做好協調工作，好好照顧一下，多提供幫助。」

徐雲妮的耳邊響起一聲淡淡的「嗯」。華老闆又看向徐雲妮：「妳要是有什麼問題，或者遇到什麼困難，都可以跟班長說。」

徐雲妮也回了一聲：「嗯。」

這真是，始料未及。

從辦公室出來，兩人一前一後往班裡走。

時訣還是跟早上一樣的造型，敞開著校服外套，兩手插口袋走在前面。走廊裡說話的同學見了他，有的放低聲音，有的主動打招呼。

徐雲妮看著眼前寬闊平整的背，是她刻板印象了嗎？這是班長？

走到一半他們被幾個低年級的攔住了，一位穿著高二校服的美人學妹大方地拉住他說話。徐雲妮覺得有點尷尬，站也不是，走也不是。後來又圍上來幾個人，徐雲妮順勢從旁邊滑出來，繼續往教室走。

時訣與徐雲妮從小到大對「班幹部」的固有印象相距甚遠，不管是外形、氣質，還是整體行事風格。

藝術中學⋯⋯難道是靠選美上來的？

胡思亂想，疑慮重重。

不管怎麼說，轉學的生活就這麼開始了。

幾天下來，徐雲妮覺得自己適應得還不錯，除了學科課程難度偏低以外，華都其他方面都還可以。徐雲妮還特地在網路上查了一下，華都算是個老學校，有幾十年歷史了，一開始是家服裝廠，後來改成了服裝設計學院，再然後涉及專業越來越寬泛，改成了藝術中學，學費還不便宜呢，校園配備設施甚至比起一般公立都要好很多，量產網紅，甚至偶爾還能出一兩位藝術家。

徐雲妮也很快摸清了華都周邊的情況，還挖掘了幾家物美價廉便捷美味的小店。她權衡了一下，回去跟家人商量，晚上在校上晚自習，大概八點多回去，就不在家吃晚飯了。

一切發展，按部就班。

唯一有點遺憾的，就是在新團體中的社交太少了。

其實徐雲妮還挺喜歡交朋友的。

不過她能理解，畢竟都高三了，學生的社交圈子都固定得差不多了，新轉來個人，誰也騰不出空來結交。她自己的複習任務也很艱巨，幾天學上下來，徐雲妮前座的女生跟她借了一片衛生棉，順便說了幾句話，算是她轉學以來唯一一次社交——如果時班長那次不算的話。

拋開這一點，生活還挺順利。

雖然偶爾會出現小小的意外情況。

轉學第四天，徐雲妮被人堵了。

在放學的路上，對方一男一女，徐雲妮都臉熟，正是第一天對人沾尾巴被她攔下來的那二位。

女的說：「妳這樣，道個歉。」

徐雲妮一頓，問：「什麼？」

男的說：「因為妳剛來，不懂事，所以我們大方，妳道個歉就算了。」

徐雲妮側目看一旁的樹叢，秋日的夜晚，路燈照耀在灰色的地板磚上，一片枯黃的落葉翹著兩角，隨著人流帶起的微風輕輕動漾，像艘異世界的小船。

今晚空氣品質還可以，徐雲妮抽抽鼻子，感覺大概算良吧。

女的又說：「等等妳態度好點，我們這邊也好交代，妳心裡有點數，要是——」

「我為什麼要道歉？」徐雲妮視線轉了回來，疑惑地問道：「我做錯什麼事了需要道歉？還有，『這邊』又是哪邊？」

女的脖子一揚，質問她：「妳知道妳得罪誰了嗎？」

徐雲妮：「不知道。」

女的掏出手機：「這樣，我幫妳打個電話，妳自己說吧。」

徐雲妮緩緩吸氣：「你們要麼把事情解釋清楚，要麼就請讓開吧。」

男的往前半步：「哎！不許走！」

他往前半步，快頂到徐雲妮面前了，他或許是想逼退她，但徐雲妮沒動一下。

尷尬在哪呢？

這男生個頭跟徐雲妮差不多高，相似身高下，女生看起來更高一點，因為頭比較小。徐雲妮性情鎮定，這男生被盯得有點心虛了，催促道：「劉莉，妳快點啊⋯⋯」

僵持之下，劉莉趕緊撥通電話：「蔣銳，給她！」

徐雲妮無奈接過手機，放到耳邊。

手機裡面聽起來有些嘈雜，像是在商場裡，還有主持人播報的聲音⋯「大家先不要走，我們演出結果後還有歡樂三重禮：信譽卡換購大行動，立減二十元，歡迎新老顧客──」有人在走動，片刻後，手機裡響起一道不耐煩的男聲，操著濃厚的老菸嗓：「劉莉，說話！」

徐雲妮看了對面的女生一眼，說：「我不是劉莉。」

電話裡的聲音停了停，徐雲妮聽到點菸的聲音。

『妳就是那新來的？』

徐雲妮問：「我是剛轉來沒錯，請問你是哪位？」

『妳不知道我是誰？』

「我怎麼知道你是誰？」

『妳不知道我是誰妳他媽打個屁的電話？』

徐雲妮嘴巴微張，聽著這毫無邏輯的一連串發言，再看看面前抱著手臂面色不善的哼哈二將，由衷感覺自己被拉進了一個神奇的位面裡。

甭管在外面什麼樣，進了裡面，都一個樣。

電話裡的老菸嗓繼續說道：「妳讓我朋友在學校沒面子，丁可萌得罪我了，什麼事妳不用管，妳先跟我朋友道歉，份上，我給妳個機會。我告訴妳，不過看在妳是新來的再跟我道歉，別等我回來親自收拾妳！」

徐雲妮看著遠處車水馬龍的街道，勸說對面，「你少抽菸，多吃藥吧。」

說完，把手機塞給身旁愣住的二人。

蔣銳對著手機說：「喂？王哥，怎麼了？啊，好好，王哥你別激動，你說慢點⋯⋯」

徐雲妮沒再糾纏，從他們身邊走過，逕自離去。

走到十字路口，徐雲妮停下了。

正值尖峰期，街道上人流湧動。

她看著對面被學生和下班的人擠得滿滿的便利商店，想著她喜歡的三明治肯定沒貨了。

要是平時，徐雲妮可能會拿別的食物應付一口，然後回學校上自習。但經過剛剛的突發事件，她忽然改了主意，想好好吃點東西，補充體力。

她沒有過馬路，而是轉去了旁邊的小路。

「⋯⋯」

走了兩百多公尺，再進入一條巷子裡。

這一片是舊住宅區，房齡目測有四十幾年了，房也老，人也老，處處透著古樸氣息，連路邊栽的樹都比外面大路上的粗一圈。

住宅區周邊的一樓有不少店面，規模都不大，附近熟客偏多。其中有一家店叫「常在麵館」，這是徐雲妮中午發掘的地方，店面不大，非常乾淨。老闆是個四十幾歲的中年婦女，身體似乎帶點殘疾，後背一直大幅度彎曲，直不起來。

這位老闆人很嚴肅，不苟言笑，不過手藝很好，而且很注意衛生。徐雲妮仔細觀察過，她每次從廚房出來，再回去的時候，都會仔仔細細洗一次手，這舉動讓徐雲妮很安心，就把店記下了。

吃了一碗熱騰騰的番茄牛肉麵，徐雲妮心滿意足。

她準備走的時候，看到旁邊一桌。

吃飯的兩人似乎是母女，女兒看起來七八歲，媽媽一邊吃一邊看手機影片，吃得滿頭是汗，不時抽衛生紙擦拭，然後往旁邊的紙簍裡丟。

因為沒看著，準頭差了點，沒丟進去。

廚房裡正在和麵的老闆看見，轉身往外走。她背上殘疾，移動受限，走得很慢。徐雲妮抬手示意，讓她不用動，然後探身將衛生紙撿起扔到紙簍裡，抬眼的時候，跟那小女孩對視了一眼。

小女孩稍稍躲開視線。

那位母親又扔一張，徐雲妮又撿了起來放紙簍裡，然後又看了小女孩一眼。小女孩臉上紅了，在她媽媽丟空第三張衛生紙的時候，她終於拉她的手臂提醒她，說：「媽，妳都丟到地上啦⋯⋯」

女孩母親一轉眼，看見乾淨的地面上唯一的衛生紙，連忙撿起，說：「哎喲哎喲，不好意思，沒注意。」

徐雲妮直起身，準備離開，一轉身，看見時班長站在門口。

他一身黑色運動服，沒看見書包。

這身運動服穿在他身上比校服更加瀟灑，可能是自己買的衣服更適合自己的風格，袖子拉上去些，露出兩節冷白的手腕。

自從上次班導師介紹完職務之後，他們就沒再有過交流了，徐雲妮想起他們的初識畫面，還是覺得有些離譜。但畢竟是同班同學，他還是班長，在外這麼面對面碰到了，總不該視而不見。

於是她朝他點頭示意，主動說道：「你也來這吃飯嗎？」

他不說話。

徐雲妮再試一句：「這家的番茄牛肉麵很好吃。」

換來時訣一聲嗤笑。

徐雲妮：？

無法理解的生物。

她從他身邊走過，兩人沒再說話。

回學校的路很順利，哼哈二將不知接了什麼新指示，沒再堵她。

又過了一天。

徐雲妮迎來了她在華都的第二次風波。

準確來說，是她看到一場風波。

下午，徐雲妮在三樓後門的樓梯口，碰到這樣一幅畫面——一個人把另一個人堵在角落訓話。

陰暗的轉角、冰冷的走廊、壓抑的氣氛、一高一低的配置，一個教科書級的校園霸凌場景。

兩個當事人都算她在華都的「熟人」，一個是第一天被人沾羽毛的女生，她從王哥事件中得知，她叫丁可萌，此刻嚇得哆哆嗦嗦，不敢抬頭。

另一個就比較令人驚訝了，乃是讓人無法理解的時班長。

他們聽到有人來了，轉過頭，跟徐雲妮看個正著。

徐雲妮在理智上不是個喜歡多管閒事的人，但有時肉體上實在是控制不住。

她問丁可萌：「同學，發生什麼事了嗎？」

這平和的聲音，忽然插入陰冷安靜的樓梯口，顯得有點割裂。

丁可萌：「什麼？」她偷瞄了對面的時訣一眼，腦袋馬上搖得跟波浪鼓似的，「沒、沒有……」

徐雲妮停了兩秒，更直白地問道：「妳需要幫忙嗎？」

丁可萌用力搖頭：「不用，真的不用！」

徐雲妮看向時訣，提醒他：「班長，要上課了。」

徐雲妮看他這副樣子，忍不住說：「連你肩膀都不到，欺負起來有意思嗎？你還是班幹部呢，能不能做出最起碼的表率啊？」

這句說完，倒是有變化了，他眉毛挑了挑。

臉皮有夠厚，徐雲妮不無遺憾地想著，金玉其外敗絮其中，老天真的還算公平，人哪能樣樣都好，都要有點問題在身上。

「如果上課了你還不回去，我就去找班導師。」說完，她最後看了時訣一眼，轉身走了。

樓梯口靜了片刻。

時訣回過頭，視線落回丁可萌身上，丁可萌兩手握在一起，一臉心虛看向旁邊。

時訣慢慢彎下腰，與她眉目平齊，半晌，「呵」了一聲。

丁可萌頭上滲汗，抿嘴不說話。

十分鐘前。

時訣在洗手間碰到丁可萌。

男洗手間。

除了她還有一個人，王泰林的跟班一號蔣銳。丁可萌被蔣銳堵到窗戶邊，跟她說：「別不好意思啊，這地方妳熟吧？」

丁可萌低著頭不敢應聲。

蔣銳拿起手機對著她的臉：「說話！」

當時丁可萌也哆嗦，但口齒還算伶俐。

「真的跟我沒關係⋯⋯都讓她別多管閒事，誰要她幫了，真是⋯⋯」

「新來的，不知道哪來的，說是外地。她來第一天我就仔細觀察了，只知道念書，像個書呆子！我根本不認識她！」

「真的是這樣，王哥，我知道錯了，我再也不敢了⋯⋯」

「你說怎麼辦，王哥，我都聽你的⋯⋯」

他們又說了什麼，掛斷了電話。

時訣上完廁所，按下沖水。

蔣銳聽到聲音，馬上說：「誰？偷聽什麼呢，出來！」

時訣從廁所隔間出來，蔣銳看見是他，頓了一下，不自覺地解釋起來：「……啊，沒什麼，這邊有點事。」

時訣去洗手檯洗手。

蔣銳最後跟丁可萌囑咐了幾句，提醒她：「都記住沒？」丁可萌連連點頭，蔣銳就走了。

丁可萌還站在原地，抓抓脖頸，看向窗外，陷入沉思。

時訣洗完手，從旁抽了一張衛生紙。

衛生紙只剩最後一張了，被壓得有點變形，皺巴巴的，被他手上的水珠潤濕，漸漸變軟坍塌。

他手掌合在一起擦了擦，同時開口道：「聊什麼呢？」

丁可萌根本沒想到時訣會開口，稍微一愣，左右看看，沒別人啊。

時訣關了水龍頭，瞥了鏡子裡那雙故作懵懂的眼睛一眼，「跟妳說話呢，沒聽見嗎？」

丁可萌緊張道：「……跟、跟我嗎？」

時訣回過頭看她，沒有了鏡子阻礙，他的目光更為直白了，丁可萌避開視線朝旁看。

門口又進來幾個上廁所的男生，一看丁可萌，猛地一聲：「我靠？」趕緊退出去看看門

「沒錯啊！是男廁啊！」

時訣對丁可萌說：「妳過來。」

他們換了個地方，樓梯口。

時訣站到了丁可萌面前，高大的身影把丁可萌完全籠罩起來。

「妳認識我嗎？」他問。

丁可萌心說這不是廢話嗎？

丁可萌又成了那副唯唯諾諾的樣子，垂著腦袋，咬著嘴唇，臉上泛著緊張的潮紅，輕輕點了點頭。

這模樣讓時訣看笑了。

「妳是練出肌肉反應了嗎？」時訣上下打量著她，「裝模作樣，往我身上用啊？」

丁可萌一頓，漸漸抬起頭，訕笑道：「不是，我不是那個意思。那個……你找我有什麼事嗎？」

時訣問：「剛才妳在跟蔣銳說什麼？」

丁可萌撓撓臉，說：「哦，沒什麼，就是你們班那個轉學生的事。」

「我們班轉學生？」時訣笑著問，「我們班轉學生有什麼事？」

他剛問完這話，徐雲妮就來了。

丁可萌餘光掃見徐雲妮，一秒鐘作彎腰低頭狀，手摳褲縫，滿臉委屈。

然後就發生了剛剛那一幕。

現在，徐雲妮走了。

時訣打量丁可萌，由衷說道：「丁可萌，妳不應該學攝影，妳應該去學表演。」

丁可萌偷偷看時訣，繼續說：「這事是王哥安排的，就是，就是一開始他不是跟那個……」

時訣準備解釋，時訣根本沒聽，他想著徐雲妮剛剛的視線和發言，睨了一眼，轉身離去。

「欸？」丁可萌瞧著他的背影，一頭霧水。

時訣踩著鐘聲進教室，回到座位。

徐雲妮全程寫著試卷，頭都沒抬起過。

時訣一屁股坐下，吳航轉過眼來，一種來自兩年多老鄰居的直覺驅使他發問。

「你怎麼了？」

「嗯？」

吳航小心道：「你生氣了？」

時訣側目看他：「什麼？」

吳航搖搖頭，「沒事……」

下午。

某節下課,丁可萌來找徐雲妮了。

她到了三班門口,跟做賊一樣,徘徊來去,不敢進,碰到吳航從外面回來。

丁可萌見到有人朝她走過來,反射性往後縮,吳航擋到她身前。

「哎?躲什麼?妳不是六班的嗎?來我們這幹嘛?鬼鬼祟祟的。」

丁可萌小聲說:「我、我想找人⋯⋯」

吳航貼近:「找誰?」

「徐⋯⋯」

「徐?徐什麼?我猜猜,徐雲妮?」

丁可萌點點頭,吳航閒得很,主動說道:「我幫妳叫行吧?」

丁可萌:「謝、謝謝。」

吳航彎下腰說:「我不能白幫妳叫吧,妳告訴我妳想跟她說什麼?」

丁可萌知道肯定跑不掉的,混也混不過去,不如快點說了。

「我想請她吃個飯,謝謝她幫我。」說完馬上緊張地抬頭,祈求吳航,「能不能別告訴別人,我⋯⋯」

吳航:「我告訴別人幹嘛。妳等著,我去幫妳叫人。」

吳航進了教室,走到後面,還很有誠意地壓低了聲音,跟正在寫題目的徐雲妮說:「同學,有人叫妳,在外面。」

「叫我？」徐雲妮心有疑惑，放下筆出去了。

吳航回到座位，對時訣說：「丁可萌說要請轉學生吃飯，以表感謝。」說著，他又想起什麼，「哎？王泰林是不是今天要回來？你說會不會是要整她啊？」時訣看著門口，丁可萌正在跟徐雲妮說話。他沒有回答，把桌面上的紙翻了頁，重新戴上耳機。

走廊裡，徐雲妮聽完丁可萌來意，說：「不用請我吃飯，我也沒做什麼。」

丁可萌本來就很侷促，一聽她拒絕，頓時更緊張了，「怎麼沒做？妳明明幫了我。不是，我、我沒有別的意思，哎，妳就答應我吧。」

丁可萌看起來可憐兮兮，嘴唇發白，眼底發紅，整個快不行了的樣子，徐雲妮不禁說：「妳不至於吧？」

她這一說，丁可萌眼淚都快下來了。

徐雲妮：「不就是一頓飯嗎？」

丁可萌：「對，就是一頓飯，妳就答應了吧。」

丁可萌不與徐雲妮對視，就是磨磨蹭蹭，不肯放棄。

上課鐘響了。

周圍學生逐漸多起來，丁可萌跟地鼠似的，越縮越小，饒是這樣，還是堅持著不肯走。

徐雲妮看了她一下，終於說：「行，今晚放學妳在校門口等我。」

第二章 神奇物種

見她答應，丁可萌如釋重負。

徐雲妮回到教室繼續自習。

前座女生轉過頭來，小聲說：「妳別理丁可萌⋯⋯」

徐雲妮一愣，這女生叫什麼？楊夢莎？印象裡是個很內向的女孩，徐雲妮與她借過一片衛生棉之緣，在那之後沒主動跟她聊過天。

「為什麼？」她問，「丁可萌有什麼問題嗎？」

「反正不是什麼老實人，妳別管她了。」楊夢莎說完就轉過去了。

靜了一下，徐雲妮重新低頭寫試卷。

晚上放學。

徐雲妮依舊按照平時的節奏，收拾好東西出門，校門口找了一圈，在一個不起眼的角落發現丁可萌。

她邊沒看見她，正拿著手機蹲在路邊凝神打字。

徐雲妮走過去，說：「走吧。」

「哎⋯⋯哎！」丁可萌嚇了一跳，手機差點掉地上，連忙拿好收起，「走，這就走，妳想吃什麼？」

徐雲妮走在前面，「妳跟我來。」

最終，由徐雲妮帶路，她們來到常在麵館。

丁可萌在店前停住，沒進去，猶猶豫豫道：「妳要吃這家啊？」

丁可萌小聲說：「我們換一家吧。」

徐雲妮：「對，怎麼了？」

徐雲妮：「為什麼？妳不愛吃麵？」

丁可萌抓抓腦袋，說：「也不是，我可以、可以請妳吃更貴更好的，這、這家……」

徐雲妮說：「用不著，這附近的店我差不多都吃過了，貴的也沒這家好吃。妳怎麼了？」

她說一半，忽然發現什麼，臉色一白，頭瞬間低下去。

她發現丁可萌的異樣，忽而察覺什麼，一轉頭，又看見了時訣。

又。

徐雲妮回想了一下，自己見他的次數很多嗎？

真要算起來，其實也沒有，跟見別的同學的次數比，甚至少一點，因為好多時候他都不在教室，也不知道在忙什麼。

那為什麼總覺得見他的次數很多呢？

大概是客觀條件造成的心理暗示。

不得不承認，這人的畫風就是跟其他人不一樣，自動聚焦，一次出場頂三次，無法不讓

丁可萌腦袋裡得跟鴕鳥似的，大氣都不敢出，徐雲妮伸手，悄悄把丁可萌往身後拉了拉，儘量避開時訣的視線。

她帶丁可萌往店裡去，第一下還沒拽動，丁可萌像被定身了一樣，徐雲妮又使了下力，終於把她扯進店裡。

時訣向店旁的小路走去。

店鋪後面就是門，一棟老式公寓，樓梯間角落堆著快跟牆壁融在一起的自行車，看起來頗有年頭。

這棟一共六層樓，沒有電梯，像是上了年紀的老人，各項身體指標都不中用了。時訣上到四樓，這層的聲控燈也壞了，他在黑暗裡掏鑰匙開門。

一個小房子，面積大概二十多坪，兩室一廳。屋裡的家具有些陳舊，但異常整潔，仔細聞聞，還帶有清潔劑的氣味。

時訣進了房間，書包扔到角落。

他的臥室是主臥，跟旁邊的儲物間打通了，面積還行，只是格局有些奇怪。左邊有一張單人床，床架特別矮，只放了一個十公分高的架子，上面直接鋪了床墊，銀灰色的床單上扔著散開的書，床頭牆邊靠著兩把形狀不同的吉他。

臥室正面的牆上鑲嵌一面大鏡子，下面放著音箱。另外一面牆的角落擺著一架電子琴，

旁邊的桌子上有音效卡、麥克風、鍵盤線，纏來纏去。再旁邊是兩排衣架，上面掛著滿滿的衣服。

整個房間七成的面積都是空的，比起臥房，更像一個小型的工作室。

時訣先去沖了個澡。

走出浴室，瘦長的腳掌在地板上踩出步步水痕。

臥室沒有開燈，時訣也懶得拉窗簾，他擦擦頭髮，浴巾隨手一丟。月光照在他舒展的後背和修長的四肢上，反射出冰白的光。

他換上衣服，重新出了門。

常在麵館內。

徐雲妮已經快吃完了。

她吃飯速度很快，雖不至於狼吞虎嚥，但一碗麵七八分鐘也快吃光了。相較而言，對面的丁可萌吃的就很慢，跟咽藥似的，沒事還看看手機，一臉擔憂。

徐雲妮吃完了麵，靠坐在椅子上。

丁可萌察覺徐雲妮的視線，說：「那個，我吃的慢……」

「不急，慢慢吃，別浪費，」徐雲妮對她說：「我有點事想問妳。」

「啊……什麼事？」

「『王哥』是誰啊？」丁可萌一哆嗦，偷看徐雲妮，心說她怎麼知道王泰林呢？她又知道多少呢？

「王、王哥，就是……就是七班的一個男生……」

「他為什麼要找妳麻煩？」

丁可萌垂眸不語。

徐雲妮想想，又問：「還有，妳跟我們班長之間有什麼矛盾嗎？」

丁可萌輕輕咬著嘴唇。

徐雲妮看她唯唯諾諾的樣子，語氣放緩，說：「妳不要怕，我的意思是，如果妳真的跟別人起了衝突，自己解決不了，就找人說說，不管怎樣，他們在學校那麼欺負妳都是不對的。」

丁可萌還是低著頭不說話。

「妳招惹過他們嗎？」

「我……」

「我雖然剛來還不太熟悉，但我們可以一起商量個辦法。或者妳去找老師、找家長，真有矛盾就去處理，自己悶著永遠無法解決問題。」

丁可萌囁嚅道：「謝謝妳幫我。」

「還沒幫呢，妳要先說清楚啊。」

「我說的是妳剛轉來那天⋯⋯」

「哦，那天啊，」徐雲妮稍作回憶，「那天幫妳，是因為妳向我求助了。」

丁可疑惑：「求助？」

徐雲妮：「沒有嗎？」

丁可萌回想當初的場景，那時她根本不認識徐雲妮，她只是在一群圍觀嘲笑的人當中，下意識看向那個唯一沒笑她的人。

原來那時的眼神算是求助？

丁可萌低聲說：「真的沒什麼事，我只是想請妳吃個飯而已，等等就回家了。」

吃完飯，丁可萌結了帳。

徐雲妮站起來，她這個方向正對著廚房，看到老闆在角落處理貨箱，她看了幾眼，對丁可萌說：「妳去外面等我，我馬上來。」

丁可萌出了店，徐雲妮走到老闆旁邊，離得近了，她感覺她的後背看起來更嚴重了，脊椎嚴重扭曲，動作顫巍巍的，就是不肯放下那箱子。

她說：「老闆，打擾一下，我想請教點事，您方便嗎？」

「⋯⋯嗯？」老闆一停頓，徐雲妮順勢上前一步，接過箱子，摞到一旁整理好。

老闆喘了口氣，問：「什麼事？」

徐雲妮說：「妳手藝好，我想問問，燉牛肉要不要焯水？我媽總愛焯水，她怕有細菌，

那肉我都咬不動,她說是我牙齒有問題。」

老闆說:「不要熱水焯,焯了就沒味了,也容易老。看肉的品質,可以冷水泡,也可以直接燉,注意勤撈血沫就行。」

徐雲妮說:「好,謝謝老闆,回去我跟她說說。」

老闆從箱子裡抽出一瓶汽水塞給她,徐雲妮說:「不用了,吃太多了,喝不下了。」她把汽水放進飲料櫃,轉身往外走。

結果一轉頭——又又又又又又又,看見時訣了。

第三章　常在麵館

徐雲妮吸取上次的教訓，這次連招呼都懶得打了，直接往外走。

走到他身前，他沒讓開。

徐雲妮聞到一股淡淡的香氣。

仔細看看，頭髮都沒乾。

他洗澡了？

徐雲妮不知道這人這麼短時間裡去哪洗的澡，還換了身衣服。火力倒是夠旺，秋日的夜晚已經涼了，街上穿夾克外套的比比皆是，他居然只穿了件短袖就出來了。肩膀又平又寬，將T恤完整展開，襯得本來就白的皮膚都快反光了。

與那雙微斂的眼睛對視兩秒，徐雲妮終於忍不住問道：「你到底要幹什麼？」

時訣：「什麼？」

「我們別拐彎抹角了行嗎？」徐雲妮示意他的位置，「你是要找丁可萌嗎？你們之間有什麼問題嗎？要是有事就說出來啊，你們是怎麼回事？」

與情緒出現波動的徐雲妮不同，時訣平靜得就像照片裡的海岸線，「我找她幹嘛？」

鬼知道。

徐雲妮：「那你為什麼追到這來？」

時訣眉目間的神情，似乎覺得這問題很奇怪，「追到這？店是妳家開的，別人不能來是嗎？」

徐雲妮反嗆他：「那你這樣堵在門口，店是你家開的嗎？」

「是啊，」他說著，又向廚房一抬頭，「那是我媽。」

徐雲妮：…？

時訣看著面前的人忽然掉線了一樣，雙眼睜大，嘴巴微開，皺眉肌因頗有幅度的抬起還擠出了一點紋路。

時訣：「丁可萌沒告訴妳嗎？」

沒。

時訣淡淡道：「有問題嗎？」

徐雲妮搖頭。

怪不得不敢進，怪不得總在門口看見他。

徐雲妮的確有些驚訝，先不說店是不是他家的，他跟這個老闆哪有一點相像的地方。

是親生的嗎？

她無話可說了，想要離開這裡。她向前走了半步——不是她不想走滿一步，而是再往前

多一公分,兩人就要撞上了。

可時訣還是沒有要移動的跡象。

徐雲妮瞄他一眼,視線又對上了。

一秒、兩秒……

別的不說,時班長這對視功力至少比得上兩百個蔣銳。

她嗅到他身上的花香味,也許來自洗髮精,也許來自沐浴乳。

突出一個天荒地老,永不心虛。

「妳回學校去吧。」時訣說。

多好的提議啊,那你倒是讓開啊。

徐雲妮真誠說道:「班長,你要是真的這麼閒,不如去幫幫你媽媽的忙吧。」

說完,她伸手撥開他,從旁邊擠出來。

店外,晚風一吹,通體舒暢。

徐雲妮做了一次深呼吸,腦子清醒了不少。

她在店門口掃了一圈,丁可萌正在旁邊一棵樹下用手機,眉頭緊蹙兩手齊上,劈里啪啦打字。

徐雲妮叫她:「走了,妳要回學校嗎?」

丁可萌抬頭，匆匆道：「哎！妳等我，我跟妳一起！我回家也是那個方向！」

店內，時訣走到裡面，搬起另外幾箱飲料，堆疊，又拿了幾瓶補到冰箱裡。廚房裡的吳月祁看見時訣，臉上露出不滿，「我都說了你該幹什麼就去幹什麼，別到店裡來。」

時訣問：「我有什麼該幹的？」

吳月祁用手拍拍案板，說：「你要麼去看書，要麼去練琴跳舞，實在累了就去找朋友玩。」

時訣：「找他們玩不是更累？」

吳月祁說：「反正你別來店裡。」

時訣走到廚房前，彎下腰，兩肘抵在檯子上，說：「媽，妳要是真的這麼不想我幫忙，那就雇個人。還有，我買給妳的理療儀為什麼不用？包裝都沒了，妳再把它裝起來也退不掉的。」

「你怎麼來了？」廚房裡的吳月祁看見時訣，

「你——」吳月祁瞪起眼睛，時訣笑著說：「不扔就用，不用就扔，妳自己選。」他留下句話，然後直起身，接著理貨。

吳月祁一聽退不掉，生氣地指責道：「你這麼亂花錢！那你找人賣掉！」

時訣說：「不用那麼麻煩吧，我抽空扔了就好了。」

他把最後幾箱貨整理好,從冰箱裡抽了一瓶水,坐到旁邊。

好巧不巧,這正是吳月祁想要送給徐雲妮,但沒送出去的那瓶。被徐雲妮放在冰櫃邊緣,位置相當突兀。

時訣看了看,擰開喝下。

「剛才那個女生,」吳月祁一邊和麵一邊問,「是你同學?」

「嗯?」時訣「哦」了一聲,「是唄。」

「你剛剛謝過她了?」

「謝她?我為什麼要謝她?」

吳月祁抬起頭來:「你不是看到了嗎?」

時訣眉毛動動,轉向一旁,低聲嗤笑道:「妳想謝,人家也要領情啊。」

吳月祁:「你在那嘀咕什麼呢?」

時訣又轉了過來,一臉無辜。

吳月祁說:「別人幫了忙,你就應該表達感謝,這是最基本的,何況你們是同學,你還是班長,更該有這個禮貌,不然在學校見面了怎麼辦?」

在她看不到的地方,時訣用小拇指摳摳耳朵。

說了一番,吳月祁又問:「你沒謝她,那你們剛才在門口站那麼長時間幹什麼呢?」

「哦,妳看到了?」時訣手臂搭在椅背上,翹起二郎腿,手掌摸摸頭髮,又順到自己的

第三章 常在麵館

脖頸上,悠悠地說,「什麼都沒幹啊,她盯著您兒子移不開眼罷了。」

他的聲音、神色、姿態,組在一起,就像是打碎的香水瓶,無形的氣息瀰漫四周,瞬間吸引了所有人的注意。

吳月祁相當看不慣他這副輕佻的做派,擀麵杖往砧板上重重一敲!

「你哪染的習氣?成天歪歪扭扭的,給我坐直了!」她情緒一激動,連咳了好幾聲。

「媽,別生氣,」時訣的後背被這一棒子敲直了,臉上還殘留點笑意,「我錯了。」他安撫她說:「好,妳別急,我這就去謝謝她,行吧。」他起身,仰頭把剩下的汽水一口氣乾了,一丟空瓶,出了門。

的認錯永遠及時而敷衍。吳月祁一邊咳嗽一邊指著他,憋得臉漲紅,話都說不出來。時訣

徐雲妮是在路口被追上的。

也不算被追上,她站在那停了一下。

這一路走得拖拖拉拉,丁可萌滿懷心事的模樣。到了路口,本來走到這裡就應該分道揚鑣的,她回學校上自習,丁可萌回自己家。但她在那磨蹭,結結巴巴,欲語還休。

「妳還有什麼要說的嗎?」徐雲妮問。

「呃⋯⋯有。」

「說。」

「就是、就是⋯⋯」

徐雲妮望著夜空，決定再給她兩分鐘。

還剩幾十秒的時候，丁可萌好像下定決心了，說：「我、我就是，其實就是想——哎？」

在她終於要擠出什麼的時候，丁可萌好像拎到後面，又被人薅過去了。

時訣像抓小雞仔似地將丁可萌拎到後面，徐雲妮說：「你要幹什麼？」

時訣淡淡道：「別多管閒事，誰要妳管了？真是。」

扭來扭去想要掙脫的丁可萌聽到這句，瞬間不動了。這正是她當初跟王泰林形容徐雲妮的話，此刻聽來，實在心虛，原本還想向徐雲妮賣個慘的，現在也說不出口了。

時訣見她放棄掙扎，就不再用力，小繞半圈，準備帶人走了。

徐雲妮叫住她，「丁可萌！」

丁可萌回頭。

徐雲妮：

丁可萌支支吾吾道：「那個，我們、我們是真的有點話說⋯⋯」

徐雲妮看看她，再看看時訣，點頭道：「行。」

時訣看著她離去，問丁可萌：「她剛跟妳說什麼了？」

丁可萌撓撓臉，小聲說：「她說遇到麻煩可以找她商量⋯⋯」

「喲，」時訣說：「真不錯，那妳要找她商量嗎？」

丁可萌低著頭不說話。

時訣說：「剛剛打算把她叫去哪？」

丁可萌肩膀一聳，看向時訣，「什、什麼意思？」

「妳問我什麼意思？」

丁可萌看著時訣，打從心底覺得莫名其妙，這事怎麼跟他扯上關係了？

丁可萌哭喪著臉說：「我哪也沒想帶她去。」

時訣伸手：「手機給我。」

丁可萌頓時臉紅，有些激動地說：「我都說了，哪也沒想帶她去⋯⋯是！確實有人讓我帶她去個地方，但是剛才那頓飯吃完，我又不想帶她去了！我單純想謝謝她不行嗎！」她難得這麼大聲說話，被自己嚇到，說完又縮回去了。

靜了一下。

時訣：「手機。」

丁可萌眼淚都流出來了，澈底放棄掙扎，把手機交給時訣。

時訣翻看著丁可萌的聊天記錄，整個晚上她都在傳訊息，一開始說了些有的沒的，但後面又改口。看看時間，還真是在吃飯的時候改了主意，與對方說徐雲妮臨時有事要走。他查看的時候，又進來兩則訊息，對方還在催促。

時訣抬眼看了看丁可萌，正在那吸鼻涕。

他關上手機還給她，丁可萌以為結束了，準備離開。

「去哪？」時訣又叫住她。

丁可萌回頭，一把鼻涕一把淚。

時訣：「走吧。」

丁可萌：「……走？」

丁可萌：「哥，你要幫我嗎？為什麼呀？」

時訣往剛剛在聊天記錄上看到的地點走去，說：「去跟王泰林把話說清楚。」

丁可萌看著時訣的背影，忽然明白他要幹嘛了，一顆絕望的心死灰復燃，她快步跟上，說：

「誰是妳哥？」時訣瞥她一眼，「眼淚收得夠快的，妳真該改行去學表演。」

丁可萌解釋說：「剛才那段不是演的，是真情流露。」

時訣笑了。

他迎著晚風的這一笑，差點沒把丁可萌看呆了。

皎皎的月，輕輕的風，沒多久，他們來到目的地。

約定地點在一個小公園裡，這出場畫面絕對是有設計的，四個人，除了蔣銳、劉莉這兩位貼身侍從，還有兩個小弟，分別站在兩側，隨著他們走過去，四個人自動分開，鏡頭推進，露出中間坐在器械上抽著菸顫著腿的王泰林，人馬刀槍配齊，等著開場了。

沒人注意到的是，旁邊的灌木叢中，還有一個人蹲在那看戲。

是徐雲妮。

她是偷偷跟過來的。

要說徐雲妮有沒有感覺到丁可萌身上那點不對勁，那肯定還是有的，不管是從她自身的遮遮掩掩，或者周圍的人偶爾表露的態度，都說明她這事可能另有隱情。

但徐雲妮一直覺得，這跟她關係不大，她無非就是路過看見，小伸了一手。

到今晚，她實在忍不了了。

她必須把這事弄明白。

前方器械上，大馬金刀坐著抽菸的那位，形象怎麼說，長得還行，雖然坐著，還是能看出體格很高大，輪廓深邃，在高中生範圍內，算是非常狂野的猛男類型，霸氣騰騰。

他這個造型可能是想給人一個下馬威，誰曾想小弟一散，見到了時訣。

「⋯⋯」

王泰林往旁邊歪歪頭，看向時訣身後的丁可萌，「不是，什麼意思？不是讓妳把轉學生帶來嗎？」

丁可萌小聲說：「她、她有事先走了。」說完就往時訣背後躲，也虧得兩人體型相差夠大，能縮到連影子都不剩。

「⋯⋯別拉我衣服，想勒死我。」時訣使勁拽了下領口，把衣服從丁可萌手裡搶救回

來，對王泰林說：「是我讓她帶我來的，找你聊一下。」

王泰林沒搞懂時訣為什麼會出現在這，態度很謹慎，時訣也不跟他兜圈子：「你之前問我掛名那事，你找別的地方了嗎？」

「掛名？沒啊，我還想哪天再去找崔老闆說一下。」王泰林抽了口菸，又開始抖腿，「你幫我說說唄，我也不幹別的，就掛著而已。」

時訣：「行，我去幫你說，你委屈點，丁可萌這事算了行嗎？」

王泰林隨口一問，沒想到時訣真答應了，還提出這麼個條件。一愣之下，菸也不抽了，腿也不抖了，整個人定在那。

王泰林是感覺自己升學考沒希望了，他不愛念書，就琢磨著想往自媒體發展，好好經營一下。他做了個帳號，想先累積點人氣，但認證來認證去，沒什麼有品質的東西。他之前在SD那邊學過幾天，便想掛他們的名，蹭幾個獎項，接點活動，但崔浩嫌他實力不夠，沒同意。

「不是，」王泰林沒搞明白，「為什麼啊？」

時訣這話，讓王泰林非常驚訝。

王泰林與時訣都算是華都的風雲人物，但兩人的關係，大概就是點頭之交，稱不上很熟。

當年入校，王泰林跟時訣不同班，但開學第一天就聽說了這個人，因為那外表實在太過

搶眼了。

王泰林瞬間鎖定此人，秉持著一山不容二虎的理念，他是把時訣鎖成假想敵的，但沒鎖幾天，因為發現，根本鎖不住。

這人的心思就不在校園內。

王泰林第一次真正跟時訣接觸，是高一開學一個月之後，那時市裡要搞國慶獻禮，華都要選一個歌舞節目，他們都被挑中參加。

節目負責人是個音樂學院剛畢業的老師，二十幾歲，第一次排練四五十人的大型節目，很不熟練。每次卡住的時候，時訣都會提點意見，不管是合唱部分還是舞蹈部分，都是一針見血。到最後，他的所有修改意見都被保留下來，音樂老師甚至把他叫去一起研究節目的後期製作。

最後，他們的節目拿了一等獎，在教育局官網首頁展示了好幾天，校長在市裡大有面子，高興得走路一蹦一跳的。

王泰林很驚訝，這時訣怎麼看都是個不正經的玩咖，沒想到這麼有實力。慢慢的，這所學校裡，只要是走音樂舞蹈路線的，基本沒有不認識他的。時訣比他們大一歲，聽說休學過一年多，但年紀輕輕就可以在正規機構裡接手非常成熟的商業單。從他入學開始，學校碰到重要的演出、比賽，拿得出手的作品幾乎都有他的影子。

這種才情，只能說是老天爺賞飯吃。

大家都知道他在外面培訓機構上課，社會關係肯定比普通學生複雜些，關於他的種種傳聞沒斷過，一開始有人說他最多念一年就會走，後來一年過去，又有人說他早早就簽公司了，等著畢業，甚至還有人說他已經在外面被包養了，好的壞的什麼話都有，他自己從沒提過，也沒解釋過。

他經常安排活動、參加活動，跟誰都能說得上話，能力超群，做正事時略顯嚴格，但大部分時間都很隨性，朋友眾多。

但真要說他熱心，根本不算。

事實上，學校裡大部分人都默認，時訣外熱內冷，野心勃勃，他看似愛玩，但再怎麼玩樂，也會優先把自己的事安排好。很多人私下都說過，他這人不太真心，不好深交。

「哎，」時訣將他喚回神，「行不行啊？想什麼呢？」

「不是⋯⋯」王泰林怎麼也想不明白，為什麼時訣會為這八竿子打不著的丁可萌出頭，「妳跟丁可萌很熟嗎？」

「不熟。」

王泰林說：「不熟你幹嘛要──」

旁邊蔣銳忽然想到什麼，湊過去跟王泰林說了幾句，王泰林回過味來⋯⋯「啊！你不是幫丁可萌，你是幫那轉學生嗎？」

樹叢中的徐雲妮微微一愣。

時訣:「你就當是吧。」

見他認了,王泰林更驚訝了,「你認識轉學生嗎?」

「廢話,」時訣笑著說:「當然認識,那是我們班的。」

王泰林頓了頓,時訣又說:「班導師剛把我叫去囑咐完,讓我照顧好,這才過去幾天,別讓你嚇得不敢上學了。」

「哈!」王泰林笑了兩聲,「你這班長當的挺負責啊,比我們班那個只知道收作業的傻子強多了。嘖,你們的、你們班的……我還真沒注意她是三班的。」他嘀咕著,又著腰原地走動一下,「其實我一開始也沒想拿她怎樣,她剛轉來什麼都不知道,但她巨狂你知道嗎?我讓她道歉她不道歉,她還罵我!」

時訣有點驚訝:「她罵你?」

「啊!」王泰林憤然道:「她讓我少抽菸多吃藥!有這麼說話的嗎!」

他對王泰林說:「剛才跟你商量的事你看行不行,不行就算了。」

他虧了夜色正濃,掩住時訣嘴角的一絲抽搐。

沒什麼好考慮的,就算時訣單獨開口,王泰林也能賣個面子,何況他還開了不錯的條件。

實打實的便宜,不占白不占。

王泰林爽快道:「行啊!我不讓你難做,這事拉倒了。」

時訣點點頭，說：「你給我點時間，我去找崔哥說。」

「好，」王泰林指指他後面準備溜走的丁可萌，「哎，妳過來。」

丁可萌小碎步往時訣那邊挪，王泰林不耐煩道：「老子說話算話！說拉倒就拉倒，我問妳別的事！」

丁可萌向時訣投去求助的眼神，時訣看都沒看，大手一撥把她推進虎穴，直接離開了。

王泰林掐住小雞仔，環視周圍，劉莉嚷嚷著餓了，王泰林說：「行，找個地方吃點東西，要不然先回學校那邊，妳別說我也有點餓了⋯⋯」

他們往小公園外面走，身後樹叢裡，徐雲妮跨了出來。

她站在這塊稍顯空曠的空地上，環顧四周，有運動器械，有樹木草叢，和不太亮的路燈。

她歪歪脖子，眉頭還是微微蹙著。

抬頭看看，天邊，微風吹開細紗般的雲網，露出月亮，純白耀眼。

王泰林一行人轉進小路，聽見後面有人說：「丁可萌？」

他們回頭，徐雲妮跟在後面，一副偶遇的樣子。丁可萌很驚訝，悄悄看了王泰林一眼。

徐雲妮看著眾人，問丁可萌：「妳怎麼在這？他們是誰啊？」

丁可萌張張嘴，還不知道要怎麼說，就見徐雲妮突然明白了似的，朝著王泰林恍然道：

「啊，是『王哥』嗎？」

劉莉在王泰林耳邊小聲說了什麼。

王泰林上下打量她。

徐雲妮承認道：「對，我就是那個轉學生。」

王泰林哼了一聲：「妳出現的挺是時候啊，但凡早個半小時呢。」

徐雲妮不解道：「什麼意思？」

既然已經答應時訣，王泰林也懶得再糾纏，擺擺手，讓她離開。

「等等，」徐雲妮叫住他，「同學，我們能聊聊嗎？」

王泰林皺眉道：「什麼？」

徐雲妮說：「我們之間應該有點誤會吧，你看，我之前打電話的時候態度也不好，學校門口有家飲料店，我想請你們喝點東西行嗎？」

她突然這麼說，對面那幾個人全愣住了。

連丁可萌都一臉詭異地看著她。

徐雲妮朝王泰林笑了笑，說：「王哥，給個機會唄。」

真心換真心，那叫一個情真意切。

李恩穎評價過，說徐雲妮的性格更多遺傳了徐志坤，不是個天生愛笑的人。但徐志坤以

前辦案的時候，會根據不同情況，調整自己的狀態。

這一點，徐雲妮也學到位了。

很顯然，這幾聲「王哥」喊得王泰林氣挺順的。

他問：「妳想聊什麼？」

徐雲妮說：「我想跟你說一下那天的事，用不了多長時間，就坐一下，你看可以嗎？」

結果，糊里糊塗，連哄帶騙，徐雲妮還真的擠進了王泰林的隊伍裡。

坐在飲料店的座位上，沒人說話。

大夥沒搞清徐雲妮的目的，沒人點餐，徐雲妮自己招呼服務生拿來幾張菜單。

她先點了一杯喝的，抬頭問其他人：「你們要什麼？咖啡、奶茶？還是果汁？」

大夥看王泰林，王泰林說：「咖啡。」

他一說話，別人紛紛跟進。

徐雲妮又點了一堆食物，披薩、雞排、薯條、炸丸子，最後上了滿滿一桌。

一吃起東西，氣氛就沒那麼僵硬了。

徐雲妮對王泰林說：「我剛轉學過來，什麼都不熟悉，我後來想了想，那天可能真的有點衝動，應該先弄清楚再說話。所以……」

王泰林戳了一個魚丸，在盤子裡敲了敲，挺有彈性。

徐雲妮的態度夠誠懇，王泰林朝丁可萌抬抬下巴：「妳想弄清楚啊，妳問她啊。」

丁可萌點了一杯黑糖珍珠奶茶，捧著低頭喝，徐雲妮碰她一下，她頭更低了，徐雲妮再碰一下，丁可萌又往後縮。

王泰林冷笑道：「怎麼了？自己幹的事自己說不出來？」

丁可萌躲無可躲，終於支支吾吾講起來。

她說得斷斷續續的，不過加上旁邊其他人不時補充說明，徐雲妮總算弄明白了。

前一陣子，王泰林跟隔壁高職的一個男生起了衝突，兩人都在網路上搞直播，高職那位做得比較早，直播內容就是唱歌跳舞，聊天講段子，有一定粉絲基礎。王泰林起步得晚，但王泰林好歹是半個專業出身，是認真學過聲樂和舞蹈的，外形條件也不錯，上升趨勢很明顯。兩個學校離得近，都是熟人看直播，就有人拿來作比較，王泰林又愛炫耀，喜歡嘲諷對面，一來二去，同行就成冤家了。

兩邊開始罵戰，罵得很低端，專攻下三路，有人留言跟高職男說王泰林看起來比你猛，高職男就說王泰林現實裡中看不中用，王泰林直播回話，老子十八公分，好不好用你過來撅屁股試試就知道了，高職男說他吹牛不打草稿。

然後，問題就來了，高職男抓著王泰林吹牛這事不放，非要拿到證據嘲諷他，腦子一抽就想了個邪招，找人去華都廁所偷拍，後來他找到了丁可萌。

徐雲妮都聽愣了，先不說十八公分的問題，她問丁可萌：「……找妳？妳不是女生嗎？妳怎麼去廁所拍？」

劉莉在旁說：「讓她小弟拍啊。」

徐雲妮重新審視丁可萌。

人不可貌相。

「妳還有小弟呢？」

丁可萌低頭咬著吸管，仍是一臉慫樣。

總之，就是丁可萌在校外找了個人，幫他弄了一套華都校服偷偷進了學校，給他消息，跟著王泰林進廁所拍。華都所有廁所都是隔間的，他站王泰林隔壁馬桶上，從高往低照，結果不小心，手機掉過去了，這事就暴露了。

那時候正趕上王泰林要去外面參加活動，請了假，馬上要走了，等回來才能處理。他離校期間，他的朋友氣不過，就在學校裡找丁可萌的麻煩。

徐雲妮聽了一半，見桌上東西吃得差不多了，讓服務生又加了幾份雞排和丸子。

王泰林：「聽懂沒？」

徐雲妮：「聽懂了。」

王泰林冷冷道：「我跟妳說，我今天下午剛回來，本來是想把妳們打包一起收拾，要不是──」他頓了頓，沒往下說，轉向丁可萌，「我叫妳來就是要問清一件事，妳給我老實交代，妳收了他多少錢？」

丁可萌愣了⋯⋯「誰？收誰錢？」

「妳說誰!」

「我沒有!」丁可萌委屈道:「是他威脅我!他還拿了我的相機,說不替他辦事就打我,我沒收錢!」

「打妳?」王泰林怒道:「妳就不怕我打妳?我告訴妳,是老子現在脾氣好了,忙事業了,要是換成高一的時候,這學妳他媽別想上了!」

丁可萌嚇得彎腰縮脖,猛吸了口飲料。

「妳相機被那個高職男生拿走了?」徐雲妮問。

「嗯。」

「妳怎麼不去找他們老師呢?」

「……我害怕。」

「妳之前認識那人嗎?」

丁可萌一頓,然後搖頭。

徐雲妮:「他是怎麼找到妳的?」

丁可萌解釋說:「有天放學,我帶著相機被他看見了,他可能覺得我是學攝影的,做起事來比較方便吧……」

其實現在徐雲妮的重點應該放在怎麼跟王泰林團夥化解矛盾上,但她聽丁可萌的話,越聽越疑惑,設身處地代入,要是她想找人偷拍校霸如廁的照片,怎麼也不可能找到丁可萌這

「就因為妳拿了個相機他就找上妳了？你們學校不可能只有妳一個學攝影的吧，他為什麼不找個男生幫他拍？他知道妳有小弟能用嗎？」

丁可萌被這一連串的問題問得眼神閃避，「我、我也不清楚……」

「丁可萌。」

丁可萌被她叫得肩膀瑟縮，那邊王泰林也看出不對勁了。

徐雲妮安撫王泰林：「王哥，冷靜。」她轉向丁可萌，「媽的！妳還有隱瞞是吧！」

「什麼意思？」他手裡竹籤一扔，瞪著丁可萌，通紅的臉憋了一下，終於承認了。

丁可萌說：「……是認識，我之前拍過他。」

徐雲妮說：「拍什麼？」

丁可萌說：「就是，他不是直播有點人氣嘛，然後有人想要他私下學校裡的照片，我就找機會拍了幾張，做成小卡……」

徐雲妮說：「賣？」

丁可萌抿抿嘴唇。

她語氣平和，又不容反駁。

全桌人都看著，丁可萌沒處跑了，

「然後被他發現了?」徐雲妮又問。

「……嗯,他發現也沒說什麼啊,好多主播都自己花錢做卡的,品質還沒我好呢。我也拍過其他人,沒人拍說明沒人氣,這也是宣傳啊。反正就、就這麼認識的,然後他跟……」

她看看王泰林,「鬧翻了之後,就扣了我的相機,讓我拿照片換,真就這麼多了,我真沒拿錢!我也不想幹這事!」

越挖越有料。

徐雲妮心裡琢磨著接下來該說什麼。

那邊,王泰林也在思考。

但顯然,兩人想的不是同件事。

「小卡,」他問丁可萌,「妳都拍過誰啊?」

丁可萌小聲說:「也沒誰,就、就那幾個玩直播和空間論壇的,比較有名的……」

王泰林:「那妳也拍過我唄?」

丁可萌不經意地又縮了點,小小搖頭。

徐雲妮斜眼過來。

王泰林皺眉道:「拍就拍了,拿來我看看妳拍得怎麼樣,別他媽給我留黑歷史了!」

「真沒……」丁可萌有點後悔剛才說的那句「沒人拍說明沒人氣」,試著彌補,「你做直播時間比較短,所以……」

王泰林垂著無語的眼皮，「我直播時間短？」

「嗯。」

靜了靜，王泰林忽然問：「妳拍過時訣嗎？」

丁可萌不到半秒就回答說：「拍過。」

王泰林猛一捶桌子，薯條彈起來好幾根！

「他直播過嗎？妳拍了！到我這就直播時間短！」

他一爆發，周圍的人都看過來了，丁可萌又不敢說話了。

徐雲妮將彈過來的薯條撿起，放到嘴裡慢慢咀嚼。

片刻，王泰林伸手，淡淡道：「妳拍的卡，有沒有帶來？」

丁可萌小心翼翼拿來書包，王泰林嫌她磨蹭，起身一把搶過來，他從裡面找到一個卡冊，狂翻頁，越翻越暴躁。最後停在一頁，眼底一抽，舉起來對著丁可萌：「妳他媽把他臉修這麼小？」

「啊？」「我沒修！我的賣點就是真實不作假！全部生圖直出的好嘛！」

在丁可萌說完後，全桌人的注意力都變了，大夥探腦袋去看那張「生圖直出」的小卡。

那是一張時訣在校園操場旁的照片，應該是夏天的時候，他站在綻開著滿滿紫藤花的走廊旁，跟幾個人說笑，藍天白雲，彩花綠葉，那真是春風得意，驚豔絕倫的美少年。

蔣銳看著小卡說道：「這臉差不多吧，就這樣。」

劉莉也說：「是差不多，平時在學校看也這樣，他主要是上相。」

王泰林看著這群手肘往外拐的損友，罵道：「你們是不是瞎？你們仔細看看這鼻子和下巴，這他媽沒修？」

丁可萌說：「我真的沒修！他面部折疊度高，頭身比例好，拍攝效果就是這樣的！」

王泰林沒想到丁可萌居然敢跟他槓上，咬牙切齒道：「妳再說一遍？」

丁可萌低下頭，但嘴裡還是沒放棄，「本來就是……」

其他人還在翻小卡集，王泰林氣不打一處來，一把合上，塞包裡丟還給丁可萌。

他喊來服務生：「有啤酒嗎？」

服務生說：「對不起，我們這沒有酒類。」

王泰林暴躁地拿出菸。

服務生說：「對不起，我們這禁菸。」

眼瞧著王泰林的臉拉得跟驢一樣長了，徐雲妮想了想，說：「王哥，之前那事真的對不起，我實在是考慮不周。不過你在華都太厲害了，我可能因為得罪了你，在學校都沒什麼人理我。」

王泰林愣了愣，這話讓他稍微挺直了腰桿，看看周圍的人：「真的？你們怎麼她了？」

蔣銳和劉莉面面相覷。

「沒怎麼啊，」蔣銳指著徐雲妮，還訴上苦了，「就那天放學我們攔她打電話，她還──」

徐雲妮抓住他伸來的手，稍微壓下去點，「不說了，吃東西吧。」

蔣銳被她一抓，觸電一樣抽了出來。

王泰林哈哈大笑，大手一揮：「行了，沒什麼大不了的，說過去了就過去了！」

最後，王泰林要求丁可萌幫他也拍組照片，效果要對標時訣的紫藤花，丁可萌頂著壓力同意了。

新的丸子上來，大家聊起別的話題，徐雲妮情商拉滿，該說時說該接時接，全程捧著對方說，把王泰林哄得飄飄然兮，越發愉悅。

王泰林問她學什麼的，徐雲妮說是學普通科的。王泰林問那妳來華都幹什麼？徐雲妮說轉錯地方了，原本要去華衡，一字之差搞錯了。大家一愣，說這差得有點多吧，華衡是明星高中，本市資優生聚集地，怪不得妳看起來氣質跟華都不搭。

徐雲妮問，我看起來像學霸嗎？

王泰林無情揭穿，是看起來太土！

矛盾解決完，餐桌氣氛逐漸熱烈，到最後，是劉莉家裡打電話來問怎麼還不回家，這才散了夥。這頓飯吃得很成功，最顯著的成果就是散夥時徐雲妮居然跟王泰林互相加了好友。

一頓飯吃下來，王泰林似乎覺得徐雲妮性格挺對胃口，而徐雲妮覺得王泰林人也還行，雖然

稍顯暴躁，但直來直去，很爽快。

萬萬沒想到，來到華都社交開張，居然是這樣的情形。

他們在飲料店門口分別，王泰林點了根菸，對徐雲妮說：「時訣今晚找我了。」

徐雲妮：「嗯？」

王泰林看她：「嗯什麼？時訣，妳們班班長，不認識啊？」

徐雲妮：「認識。」

王泰林：「怕我把妳嚇得不敢上學，他跟老師無法交代，找我說情。嘖，破職位還幹出責任感了，我是那麼不講理的人嗎？」

徐雲妮：「肯定不是啊。」

丁可萌還是一副慫樣，低著頭。

徐雲妮久不說話，丁可萌悄悄抬眼，對上一道平和的視線，心裡一虛，又低下去了。

「在樓梯口是因為這件事嗎？」徐雲妮問。

丁可萌：「……樓梯口？」

徐雲妮：「妳跟我們班班長。」

丁可萌默認了，等著新一輪的控訴。

徐雲妮靜靜看著旁邊的街道，也不知道在想什麼。驀然間，她半天沒聲響，她又抬眼。

回了神，對她說：「妳趕緊把相機拿回來吧。」

丁可萌小小「哦」了一聲。

徐雲妮回學校了。

走在安靜的小路上，晚風帶來陣陣飄香。

徐雲妮想起小時候一件事，有一次徐志坤任務受傷，在家休假，公司的同事來看他。他的主管，一個其貌不揚的中年男子，說要幫他裝衣架，上了窗臺折騰一番，衣架沒裝上，還一腳踩了空，好在有同事反應快接住了才沒出事。

同事們離開後，徐雲妮對徐志坤說：「這人太蠢了，你們部門好幾個叔叔都厲害，怎麼讓他當上主管的？是不是送禮走後門了啊？」李恩穎聽了在旁邊笑。徐志坤過來摸摸她的頭，說：「妮妮，人都有優缺點，不能只看表面，一個人能當妳上級，肯定有比妳強的地方。」

走到校園門口，徐雲妮駐足，望望遠處亮燈的教學大樓。

這時候回憶起這麼一件事，使她情不自禁咂了下嘴。

第四章 早熟

今晚的自習澈底泡湯了，徐雲妮回到教室，收拾東西，準備直接回家。

她背上重重的書包，轉頭看向斜前方。

班長的桌子上扔著幾張紙，寫著天書一樣的東西。抽屜裡有幾本作業本，還有喝空了忘記扔的瓶子，是一瓶無糖的茉莉烏龍茶，便利商店裡常見的牌子。

徐雲妮乾站了好久，她有想過時訣出手幫忙的原因，可能是他自己說的，出於對新同學的關照，也有可能是他看到她在他家店裡的舉手之勞。

但不管什麼原因，幫忙了就是幫忙了，誤會了就是誤會了。她在想明天會是怎樣的光景？班長如果找來，她該說點什麼呢？

有點頭疼。

思來想去，還是決定按徐志坤的座右銘處理——「人，最重要的是實事求是。」

該說什麼就說什麼吧。

第二天上學，一切如常。

上午上課複習，下午有兩個小測驗，然後有人去集訓，剩下的人自習。

從後方角度看，上課期間，班長不算很認真，偶爾走個神，手拄著臉不知道在那想什麼。而閒置時間裡，他跟朋友們聊聊天，開開玩笑，還被班導師叫去一下。

Over。

放學。

徐雲妮全天跟他零接觸，可能視線對上過，但也很平常地移開了。

昨天那事像是沒發生過一樣。

晚自習。

安靜的教室裡，有幾名同學在悶頭讀書。

徐雲妮翻開試題卷。

她在落筆前，又看了斜前方空空的座位一眼。她感覺人的心理有時候挺奇怪的，如果今天時班長找到她，調侃幾句，徐雲妮大概會像對王泰林一樣，跟他道個歉，說幾句軟話，然後事情就過去了。

可他這麼輕描淡寫揭過此頁，她反而想了一整天。

後面一日，時缺請了假，沒來學校。

又過了一天，他來了，上午仍是正常上課。

中午放學時，劉莉過來喊徐雲妮，說王泰林叫她一起去吃飯，問她去不去。徐雲妮甚是驚訝，劉莉說王泰林的意思是上次她請客花了不少，他要請回來。

徐雲妮欣然同意。

兩人說著話往外走，碰到從洗手間回來的吳航和時訣。

看著兩個女生走遠的身影，吳航奇怪道：「什麼情況？她們怎麼聊起來的？」

時訣沒說什麼，回教室放了東西就離開了，出校門的路上碰到王泰林。王泰林惦記著自己網路認證的事，過來詢問情況。時訣告訴他事情已經說了，不過崔浩這兩天忙，過幾天才能有回應。

王泰林：「行，說了就行，不急。」

時訣一抬下巴，王泰林朝他示意的方向看去，門口，劉莉和蔣銳在跟徐雲妮說話。

「哦，沒事，一起吃個飯。」

「吃飯？」

王泰林想到什麼，頗為自豪地說：「嗨，跟你說，你白出面了，人家後面主動來找我道歉了。」

時訣沒說話，王泰林接著吹噓道：「那態度可好了！你沒見著，開口就叫哥，小嘴可甜了！」

時訣看著門口的方向，徐雲妮正在跟劉莉說話，不知道講到什麼，劉莉哈哈大笑。

校門口，蔣銳率先發現王泰林，招呼他：「王哥！」

王泰林朝外走，遠遠問一句：「吃什麼！研究出來沒？」

徐雲妮正在聽劉莉聊華都趣聞，聽見聲音回過頭，瞧見王泰林和他身後的時訣。視線好像交匯了百分之一秒，也可能是幻覺。

「不知道啊，」劉莉推薦說：「蓋飯？」

王泰林走到他們身前：「行，那就蓋飯！」

時訣轉向旁邊的人行道。

徐雲妮他們則朝著另一邊走了。

天氣晴好，陽光穿插於樹葉的縫隙，點點落在小路上。

兩方漸行漸遠。

時訣來到常在麵館。

午飯尖峰期，店裡人多，他直接進了後廚。吳月祁忙得不可開交，看見他，瞬間皺眉，時訣提前堵住她的話，說：「正事都幹完了。」他的事情都是一陣一陣的，最近熬了兩天，跟崔浩把林妍的編舞敲定。

時訣脫了校服外套放在椅子上，挽起袖口，去外面收拾餐桌。他拿回了幾個剛吃完的麵

第四章 早熟

碗，吳月祁看見，擰著眉說：「放那，不是你該幹的活。」

時訣手上不停，說：「那妳倒是說說什麼是我該幹的，天天泡舞房錄音室？真沒那麼搞的。」

吳月祁：「你去看書啊，你們年底不就要考試了嗎？」

時訣笑了：「妳說全省模擬考啊？那東西就是今天下午考也沒問題啊。」他把碗筷放進洗碗機裡，按了好幾下，不靈敏的鍵位終於有了反應。吳月祁在旁嘮叨，詢餐飲店鋪洗碗機的價格，一句也沒聽進去。

吳月祁是個特別講求衛生的人，時訣也是有過之而無不及，他做事手腳乾淨，全都收拾完後，自己那白襯衫上別說汙漬，連一滴水都沒沾上。

過了午飯尖峰期，人沒那麼多了，時訣閒下來，吳月祁幫他下了一碗麵，他這才把飯吃了。

時訣回學校時已經過了午休，下午的課都開始上了。擺設一樣的警衛探出頭，看見熟悉的人臉，開了門。

今天下午都是藝術課集訓，大部分的人都走了，時訣回教室的時候，裡面沒剩幾個人，三五個因各種各樣情況不上課的人聚在那堆閒扯淡，還有一個在認真讀書。

吳航沒去集訓，見了他，用力招手。時訣直接走過去，靠在旁邊桌子上，跟他們說話。

安靜的教室裡，偶爾傳來閒聊和歡笑聲。

時訣沒說多久就有些累了，回座看了下書，又休息了一下。

下課，上課，再下課，再上課。

太陽在天邊劃了一道弧線，日光漸失。

剛放學，時訣接到崔浩電話，讓他過去加課。他看看時間，拎著書包往校外走，過了馬路，看見丁可萌在路邊打電話，一邊說一邊哭。

及，空腹上課又太折磨人，就準備在便利商店應付一口。他拎著書包往校外走，過了馬路，看見丁可萌在路邊打電話，一邊說一邊哭。

時訣進了便利商店，剛巧碰見徐雲妮，她正在收銀檯等待結帳，手裡拿著草莓牛奶、熱狗，和一個三明治。

晚餐尖峰時期，便利商店裡擠人。

她打了個大大的哈欠，擦擦眼睛，並沒有看到他。

時訣去冰櫃拿了水，挑了碗杯麵，又買了幾個包子。

他讓店員幫忙加熱的時候，徐雲妮已經離開了。

店外，徐雲妮一出去就看到路邊哭著打電話的人，她定睛確認是丁可萌，就拎著塑膠袋過去詢問了。

時訣坐在落地窗旁，看著外面的風景，在店裡吃東西。

丁可萌跟徐雲妮哭訴。

她的相機沒了。

第四章 早熟

「什麼叫相機沒了?」徐雲妮皺著眉問,「妳沒去跟那個高職男生要嗎?」

「我去要了,他說相機丟了!」

「怎麼丟的?」

「就是丟了,他說放教室,但是沒了!」

「妳別激動,妳找他老師了嗎?」

「他不讓我找,他威脅我要是敢鬧大就把我偷拍的事說出去。」

徐雲妮考慮一下,說:「相機貴嗎?」

「⋯⋯不貴,就一千多,但那是我媽送我的生日禮物,我用了好多年了。」丁可萌越說越傷心。

徐雲妮看她紅著眼眶的樣子,說:「妳的高中生活真是豐富多彩。」

丁可萌垂著嘴角,眼瞧著又要哭了。

徐雲妮問:「妳覺得丟的可能性大,還是他自己把相機留下了?」

丁可萌摸摸眼睛,哽咽道:「⋯⋯我不知道。」

「妳先別哭,想辦法解決問題,妳要麼直接報警,要麼⋯⋯」徐雲妮想了想,思索道:「一個舊相機,送人也沒什麼意義,他如果自己不用的話,有沒有可能掛網路上賣呢?」

丁可萌一問三不知。

徐雲妮掏出手機,打開國內最常用的二手交易平臺,問丁可萌,「妳自己的相機妳能認

出來嗎？」

丁可萌吸吸鼻子，說：「能，我用了好幾年，都有痕跡的。」

徐雲妮：「什麼牌子？什麼型號？先試試看能不能找到。」

丁可萌說了型號，徐雲妮輸入進去，出來不少，徐雲妮篩選同城發貨地，兩人一個一個查看。

徐雲妮神色平靜而專注，手機的光照在她臉上，反射出淡淡的銀灰。

看得有點久，徐雲妮乾脆拉著丁可萌蹲在樹下面，她把塑膠袋解開，三明治自己吃，熱狗給了丁可萌。

運氣相當不錯，這一查真查到了，高職男心那叫一個大，連相機上的貼紙都沒撕就掛上去了。

丁可萌一看，氣得火冒三丈，原地跳起來。

「他把我相機掛兩百塊！那裡面還插著 32G 記憶卡呢！這土狗有病吧！」

「妳先冷靜點，想想這事怎麼辦，」徐雲妮咬著三明治，把丁可萌拉回來，「妳想抓他現行，就約他線下交易。」

丁可萌又蹲下來，「抓他？那他會不會打我們啊？」

「……們？」

徐雲妮說：「打人也太誇張了，光天化日的，還有王法嗎？妳不用怕，這事無論如何都

第四章 早熟

是他不占理。」

丁可萌仍是猶豫豫。

徐雲妮知道她的顧慮，又說：「妳要是實在擔心，那就不去線下，就直接在網路上買了，花錢買個教訓，以後跟這人劃清界限。妳自己決定，覺得貴不貴。」

「倒是不貴，」丁可萌無所謂地說：「幾張卡的事。」

徐雲妮頓了頓，問她：「妳一張卡賣多少錢啊？」

「分人分卡，最便宜的十幾塊，貴的話，像上次時訣的紫藤花……」她在徐雲妮耳邊小聲說個數字。

徐雲妮沉思片刻，說：「丁可萌，妳這不太行吧，人家只是不追究，真認真妳可能要吃官司的。」

丁可萌不甚在意：「妳不懂，這圈就這樣！」

她確實不懂。

「先說這事吧，」徐雲妮再次拿起手機，「怎麼說？妳是去找他還是把相機買了？」

丁可萌最終決定：「買了吧，我不想去找他了。」

「那好，直接買了，我先跟他講講價？」

「還有空間嗎？」

「試試唄。」

兩人腦袋瓜湊一塊，最後以一百八成交，徐雲妮聯絡賣家，大砍特砍，可能因為著急出手，還真讓她砍下二十塊，還是轉了二百給徐雲妮，多了二十辛苦費。

丁可萌跟賣家確認發貨時間，丁可萌蹲在旁邊看著，發自內心地說：「妳真有辦法，徐雲妮，我請妳吃個飯吧。」

徐雲妮打著字，隨口問：「這次有沒有王泰林啊？」

丁可萌訕訕道：「沒有啦……」

「不用請了，沒多大事。」

「請吧，這相機對我很重要，我是真想謝謝妳。」丁可萌說著，靈機一動，「哎，妳要是不吃飯，我送妳一張卡啊？妳有喜歡的卡嗎？」

螢幕上滑動的手指停下了。

丁可萌說：「要麼給妳時訣的紫藤花吧！」

徐雲妮說：「不用了，太貴了。」

「不貴！妳隨便挑一張！」丁可萌很大方，從書包裡掏出卡冊，「我們區三十六所中學，但凡有點名氣混圈的，我都能幫妳找到！但我說實話，不管從藝術角度看，還是將來升值的角度，還得是時訣！」

她一頁一頁地翻，徐雲妮側目看著。

最終還是停在紫藤花這頁，丁可萌非常滿意自己這個作品。

徐雲妮看了片刻，問：「下面那種多少錢？」

那是一張側影照片，臉被樹枝遮擋了，但依然能一眼看出是時訣。

夏季的夜晚，藏在樹裡的路燈和街邊亂七八糟的看板構成了基礎的光影效果，時訣站在人行道旁，旁邊停著一輛黑色的轎車，他穿著白色襯衫，衣尾收進長褲中，手插著口袋，稍低著頭。

整個構圖看起來很舒服。

也許是因為看不清臉，便去掉了一層浮華與躁動。

而後——

身前傳來一點聲音。

接下來的五秒鐘，可以說是徐雲妮目前活到現在，體驗過的最難以描述的五秒。

第一秒，丁可萌說：「這張啊？」

第二秒，徐雲妮視線裡多了一雙鞋，一雙普通款的低筒板鞋。

第三秒，她盯著那雙鞋，和那雙修長的小腿，腦中迅速有了判斷。同時，身旁的丁可萌說：「妳喜歡這張？沒想到妳還挺有品——」

第四秒，不等她說完，徐雲妮一把將卡冊合上，丁可萌疑惑：「妳幹什——」

第五秒,丁可萌也發現了時訣,趕緊捂住卡冊。

場面陷入長久的沉默。

在這緊張刺激的時刻,徐同學再次想起了兒時經歷。她上小學的時候,有一次班裡看動畫,裡面有個角色擁有一種超能力,取時光倒流,彌補遺憾。看完之後老師問他們,想不想擁有這種能力,問到徐雲妮時,她異常成熟地回答道:「不要,人生如棋,落子無悔。」

現在想想,還是青澀,話說滿了。

時訣朝丁可萌伸出手,丁可萌像朝外交部遞交資料一樣,恭恭敬敬將卡冊放到時訣手裡。

時訣身子稍微一歪,站在那翻看。

徐雲妮站了起來,蹲太久,腿有點麻了。

時訣問:「妳們在這蹲著半天,幹什麼呢?」

丁可萌小聲解釋了相機的事,時訣聽著,沒發表看法。

他又翻了一下卡冊,問丁可萌:「這些都是妳拍的?」

一陣風吹過,樹葉子動得都比丁可萌點頭的幅度大。

時訣:「妳技術可以啊。」

「……嗯,啊?」丁可萌一愣,小腦袋抬起來點,「是嗎?你覺得還行嗎?你、你喜歡

第四章 早熟

就好⋯⋯」

見時訣沒有生氣，丁可萌開始獻殷勤：「哥，等你將來紅了，這些都可以拿來考古的，校園時期的照片可是證明你沒整容的關鍵證據，多種角度都有。」

時訣挑挑眉。

丁可萌覺得他反應還行，進一步說道：「哥，你要是有什麼不滿意的你就說，或者你比較喜歡什麼風格的，以後我多留意！」

時訣一邊聽一邊看，最後單手卡住冊子，翻轉過來朝著對面，修長的食指在某張卡上輕輕一點，「這種風格吧。」

徐雲妮眉梢神經一跳。

丁可萌興奮起來了。

「呀！你喜歡這張啊！其實我也喜歡這張！他們都覺得紫藤花最好，但說真的，我覺得哥你的氣質就適合這種暗夜之下帶點幻彩的冷調，有種孤高的美感！」一涉及專業領域，丁可萌嘰里呱啦說一通，最後用力拍拍徐雲妮，補充道：「她也最喜歡這個！我剛還說她有品

位呢！」

四目相對，徐雲妮「嗯」了一聲。

其實她也不太清楚自己在「嗯」什麼。

時訣剛要說話，手機震了起來，是崔浩打來的電話。

他接起：「……喂？我還在學校這邊，馬上過去了，晚不了。」

他一邊說著話，手裡還拿著那本卡冊，往徐雲妮那邊轉了一下手腕。

徐雲妮不解，看看卡冊，又看看他。

時訣掛斷電話，收起手機的同時，問她說：「需要幫妳簽個名嗎？」

徐雲妮：？

徐雲妮嘴巴微張，一臉困惑。

時訣鼻腔輕出一聲，深深看她一眼，把卡冊還給丁可萌，轉身離去。

丁可萌看時訣走了，長鬆口氣：「哎呦，嚇我一跳，怎麼突然冒出來了。」她看著卡冊，又難掩興奮，「不過，真不愧是時訣，有眼光！居然認可了我的技術，要不然我現在就幫他開個站子吧！」

徐雲妮問：「什麼是站子？」

「嗯……就是開一個他的照片庫。」

「然後呢？」

「然……」丁可萌突然卡住了，看看徐雲妮一本正經的眼神，「哎，跟妳說不清楚，妳不懂。」

徐雲妮沒有追問，又乾站了一下。

眼前伸來一隻爪子，丁可萌晃了晃手，說：「妳怎麼不說話了？妳是不覺得剛才有點尷尬啊？哎，沒事的！時訣就那性格，妳觀察久了就知道了。」

徐雲妮問：「什麼性格？」

丁可萌：「隨著性子來啊，他心情好了便逗逗這個撩撩那個的，放心，妳覺得丟人的事他可能睡一覺就忘了。」說到這，她想到什麼，又提醒徐雲妮，「不過妳可別當真啊。」

徐雲妮又問：「當真什麼？」

「別喜歡上他啊。」丁可萌說著，又「哎」了一聲，「妳是好學生，肯定不會搞這些的，算我多嘴。」

徐雲妮：「為什麼不能喜歡？他有什麼問題嗎？」

「他……」丁可萌沒想到徐雲妮還真往下問了，解釋說：「也不是有什麼問題，他早晚會簽約的嘛，他鐵定會幹這行的，到時候他以前的戀愛關係百分之百都要切了。他現在就算談，也純做消遣，到最後都要為正事讓路。哎呦……」丁可萌撇撇嘴，擺擺手，「妳看他那樣，一臉薄情相，天生花花公子聖體，那方面很不當回事的啦！」

徐雲妮感覺丁可萌臉上的表情更有看點，一種既喜歡又嫌棄的神態，相當複雜。

徐雲妮打量她，說：「妳剛才在他面前不是這個態度吧。」

「嘖！一碼歸一碼，」丁可萌拍拍胸口，語重心長地說：「妳是好人，又幫我這麼多

次，我是怕妳沒見過這種人，三言兩語就動心了，才跟妳說這些掏心窩的話呢！」

徐雲妮動動嘴角，點頭道：「行，謝謝妳提醒，我要回去自習了。」

丁可萌：「來，卡給妳！」

徐雲妮趕生趕死做了一份試卷，還剩下三四分鐘，對答案不太來得及，她就靠在椅背上歇了一下。

她拿出那張丁可萌大方贈與的小卡，正反面都看了看，卡面品質相當不錯，貼著膠膜，還帶著亮片。

她又往斜前方的書桌瞄了一眼。

然後就收拾東西回家了。

為了找相機，今晚自習時間少了二十分鐘。

一進家門，李恩穎在客廳看電視，趙博滿在廚房煮東西。

徐雲妮問：「你們還沒吃飯嗎？」

李恩穎說：「吃完了，妳趙叔在燉燕窩呢，幫妳也煮了一份。」

徐雲妮看了廚房一眼，這是一個明顯有別於從前的畫面。

以前家中，都是李恩穎下廚，徐志坤工作繁忙，一有任務家都難回。李恩穎做飯不好

第四章　早熟

吃，徐雲妮跟吳月祁說的話都是真的，李恩穎做牛肉每次都乾得拉絲，又堅決不點外送，說不健康。徐志坤在家有空的時候也會做做飯，但他廚藝更普通，或者說是圖省事，最喜歡的就是把所有食材準備好，然後扔到一鍋裡煮開，蘸調料吃。

相比之下，趙博滿的技術精湛多了，會做一些非常複雜的菜式，煲那種幾個小時才能做好的湯。

算是個優點。

徐雲妮去洗手換衣服，出來在客廳吃東西。

難得趙明櫟也被喊下來了。

趙博滿：「你就不能放下手機吃飯？不怕吃鼻孔裡。」

趙明櫟：「我要真有這手我還神了呢！」

趙博滿管不了他，仰天長嘆。

李恩穎拍拍趙博滿，示意他說正事。

趙博滿說：「那個，妮妮，小帥，明天是我們的紀念日，我們打算出去吃一頓，二位能否賞光一起呀？」

趙明櫟終於從手機上抬眼了，驚訝道：「紀念日？你們登記啦？」

「沒沒沒，」趙博滿連忙說：「還沒有，這麼大的事肯定會提前告訴你們的。是這樣，明天是我們中學時期參加比賽贏得一等獎的日子。」

「什麼比賽?」

「桌球混雙。」

別說趙明櫟,連徐雲妮都「啊」了一聲,多神奇啊。

她先說道:「好,那我明天早點回來。」

趙明櫟也應了。

趙博滿高興地拍手,說:「太好了!明天家庭聚餐!」

月色下。

時訣推開舞社大門。

第一眼就看見了魏芊雯發黑的臉。

她話都懶得說,往裡面一擺頭,時訣直接進到休息區。崔浩穿著一件深綠色短袖,外面還是披著那件萬年不變的薄襯衫。他聽到聲音,半回過頭。

「來了?」

「嗯。」

「剛放學?」

「嗯。」

「……你心情挺好啊。」

「有嗎?還行吧。」

「晚飯吃了嗎?」

「吃了。」

時訣是瞭解崔浩的,他不是個廢話多的人。

他問:「有什麼事嗎?」

「沒事啊,哦對了⋯⋯」崔浩像突然想起什麼,「你上次說那個你們學校的學生,叫王什麼?」

「王泰林。」

「他不是要掛名助教嗎?讓他掛吧。」

時訣點點頭:「好,謝了。」

崔浩:「你讓他沒事多練練,他條件不錯的,多打磨一下基本功啊。」

崔浩站在沙發前,看著崔浩。

時訣知道崔浩有話沒說完。

崔浩:「行了,沒事了,去上課吧。」

他去更衣室換了衣服,直接去上課。

下課後，他來到前檯，取了瓶水。

Delia和跟魏芊雯都在，Delia朝他招招手，還往走廊裡瞄了一眼，確定沒有崔浩時訣笑道：「到底什麼事？這麼神祕？」

Delia抓緊時間跟時訣說：「那個小模特兒。」

「她怎麼了？」

「她不是要參加節目嘛，但競爭挺激烈的，聽說好像有變數。你哥追人家追得起勁，一個電話就屁顛屁顛想幫忙。」

「怎麼幫？」

時訣了然，目光看向通道深處。

魏芊雯冷嘲熱諷：「真不愧是小了十四歲，拿捏你哥跟玩似的，前一陣子還吊著呢，一天回不了兩三則訊息，現在碰到事了，突然學會主動打電話了！連你都要拉出去用了！」

「節目主辦方的負責人跟林妍很熟，都是樂陽傳媒的，崔哥想讓林妍把人約出來吃頓飯，林妍肯定想帶上你唄。」

時訣沒說什麼，躺到沙發上休息了一下。

過了一下，崔浩過來了，他也是剛下課，滿身熱騰騰的汗，跟幾個學員說了點話，然後來前檯叫時訣，說：「走，跟我出去逛逛。」

時訣跟在崔浩身後，走出舞社。

兩人一路散步，不知不覺又走到了之前那座天橋上。

下方如龍的車流帶起雜訊和廢氣，裹著塵土的氣味，混合在秋風裡。

身旁崔浩有一句沒一句說著廢話，時訣左耳進右耳出，緩步溜達。

崔浩走到天橋中間停下了，對著燈影繁華的城市，隨口道：「你明天晚上空出來啊。」

「幹嘛？」

「哥帶你去喝點高檔酒。」

「陪林妍喝？」

崔浩轉過頭，看看時訣的表情，頓時明白了。他掏出一根菸，天橋上風大，他點了好幾次才點著，猛過一圈肺，又說：「是不是雯子又跟你說什麼了？」

時訣反問：「說什麼？」

「別聽她們的！」崔浩不耐道：「就是普通吃個飯，認識點人，沒什麼大不了的。」說著話，視線卻飄來飄去。

其實他們平日出去喝酒扯淡的次數不少，屬實家常便飯，可能這次崔浩真起了點為了女人利用兄弟的心思，稍微有些心虛。

崔浩性格就是這樣，什麼都寫在臉上。

「樂陽那公司真不錯的，叫你去就是交交人脈！」他再次強調。

時訣歪著頭看崔浩。

雖然崔浩性格很凶，一股暴力傾向，成天罵罵咧咧，但對時訣來說，他確實是個不可替代的存在。

這要往很早之前說。

時訣的父親時亞賢是一名舞蹈家，現代舞出身，他是跟老家的一個麵館老闆，也就是崔浩的舞蹈啟蒙恩師，在生命的最後幾年，他後來病了，在生命的最後幾年，吳月祁身體情況很差，還是崔浩從外地趕來幫忙處理了後事。後來崔浩勸說吳月祁，帶時訣來到他所在的這座城市，方便關照。他們剛來時，是崔浩借給他們錢租房開店。後來吳月祁身體好轉，店鋪經營情況良好，加上時訣也開始賺錢，生活才慢慢走上正軌。

時訣問：「是那個模特兒讓你請客的？」

「什麼？」崔浩瞪眼，「跟那沒關係！」

時訣歪過頭：「你把舞社改名也是因為她？因為她想出道，你不能公開，所以改個名字紀念自己沉默的愛情？哥，沒看出來啊，你還挺文藝。」

崔浩一張老臉漲得跟什麼似的，咬緊牙，作垂死掙扎。

「你聽不明白老子說話是吧？我都說了，跟別的沒關係！就是我讓你去！我們喝點酒，玩一玩！」

時訣：「去不了，明天學校有考試，我走不開。」

時訣：「隨便聊聊！」

拒絕得叫一個冷酷乾脆。

崔浩知道肯定是魏芊雯私下跟他通了氣，他有火發不出，憋得眼前一陣發黑，最後只能仰頭看天。

雲彩皺巴巴的，老天爺都陪他一起愁。

他閉上雙眼，努力平復情緒，忽然感覺到什麼，睜眼轉頭，看見一張湊近的俊臉。

時訣：「你不會要哭了吧？」

崔浩瞬間爆炸：「你他媽——！」

他忍無可忍，扔了菸，衝過去抓住時訣的衣服。

崔浩力氣不小，但架不住時訣下盤，而且真論體格，時訣比崔浩大一圈，拉高一個級別。他稍微配合崔浩轉了半圈，靠在天橋圍欄上，抓住他的手腕。

崔浩怒道：「去什麼啊？」

時訣淡淡道：「我對喝高檔酒沒興趣，對認識人也沒興趣，我現在是考生，哪有那麼多時間玩啊？」

「我最後問你一遍，跟別的無關，就是帶你去玩玩，你到底去不去？」

崔浩猛吸一口氣，心說你從小到大哪怕有一秒鐘心思放在學業上過？要不是吳月祁盯得緊，怕是連升學考都不會參加。

但他沒開這個口，知道說了也要被嗆，時訣從不吃口頭上的虧，嗆到最後能把人活活氣死。

崔浩這口氣足足憋了七八秒才吐出去，搞得頭暈腦脹。他煩得要死，甩開時訣，又掏出一根菸，還沒點著火，聽到時訣緩聲道：「不過……」

崔浩抬眼瞪他，等著他還放什麼屁。

時訣上下看看他，輕飄飄地琢磨道：「如果你真說，你愛那女人愛得死去活來，沒她不行，想幫她爭取這個活動機會，需要我幫忙，那我會勉為其難考慮一下的。」

崔浩聽傻了。

你看看他，他看看你，他看看你。

最後，崔浩叼著菸，喃喃道：「你是不是真的以為老子不會揍你？」

時訣看著崔浩準備火山噴發的模樣，忽然憋不住了，笑著說：「哎，跟你開個玩笑而已，我肯定會去的，我就等著林妍找我呢。」

「……什麼意思？」崔浩頓了頓，盯著時訣，「你他媽不會真要下海吧？」

時訣嗤了一聲，他伸出手，從崔浩衣服口袋裡拿走菸盒，又順走他手裡的打火機。

「我有一首歌，」他抽出一根放入口中，低下頭，攏著手點燃，「很適合她。」

「啊？」崔浩一愣，「是嗎？那你早說啊，我能替你聯絡她啊。」

時訣把打火機放進菸盒，插回他的口袋，嫌他蠢似的。

「那肯定不如她自己找上門賣的多啊。」

崔浩：「……哦。」

時訣又朝他抬抬頭，隨口道：「別總這麼愁眉苦臉的，老得無法看了，還怎麼騙小女生。」說完，他手臂搭在欄杆上，望向遠方休息。

崔浩原本要反駁他，但見晚風吹著他的襯衫、長褲，勾勒出修長的線條，他的神色跟平日一樣，放鬆淡然。

這畫面讓他有些怔住了。

崔浩比時訣大了十三歲，一輪有餘，但他時常覺得，時訣比他更成熟一些，也更現實一些。

他很理解時訣這種早熟。

在崔浩的記憶裡，時訣的父親時亞賢是個相當有魅力的男人，他很年輕的時候跟一位小提琴家結了婚，生下時訣，但很快就離了。

在那之後，他有過幾段感情，但都不順利。

並不是時亞賢太花心，恰恰相反，他是個極重感情的人，只是怎麼說呢⋯⋯他腦子可能不太好，又有點藝術家自帶的清高，過度看中精神追求，而不重視物質。

這種浪漫主義風格往往在愛情剛開始時非常迷人，但過了熱戀期，就顯得有些天真了。

時亞賢後來生了病，負擔不起在外開銷，就帶著時訣回了老家，陪伴他們的是他在老家的朋友吳月祁。

其實時亞賢和吳月祁並沒有真正在一起過，只是時亞賢病到後期精神錯亂，對著吳月祁

喊老婆，吳月祁也配合他，時訣的這聲「媽」就一直叫到了現在。

時亞賢是個優缺點都很突出的人，他才華橫溢，充滿熱忱，完全不看重錢財，是讓崔浩這個貧窮的留守兒童走上藝術道路的恩人。可他確實有些過分理想主義，又有點精神潔癖，缺乏理解他人的能力，最後心灰意冷，什麼都沒能留住。

時亞賢病了之後，崔浩時常抽空去探望，那光景讓人無限唏噓，很難想像曾經風華絕代的人物會淪落到那般地步，不少人受過他恩惠，來探望的卻寥寥無幾，身邊只有個殘疾的女人和一個瘦弱的孩子，靠著吳月祁那點微薄的積蓄度日，死的時候都花乾淨了。

後來吳月祁帶著時訣來到這座城市，死命拚了一兩年，才慢慢緩過這口氣。

在這樣的環境下長大，時訣自然而然養成了早熟的性格，他很少談理想，而更關注現實爸那一段段天真無果的情感付出，他對這方面很淡，人際交往主打無拘無束，來去自由，他很少說真心話，也不太愛回覆別人的真心話，所以經常會得到諸如「冷漠薄情」、「獨善其身」的評價。

但崔浩真心覺得，有些評價有點過頭了。

時訣側過頭，問：「幹嘛這麼看著我？」

崔浩說：「真想借你的臉活幾天。」

時訣又笑了兩聲。

第四章 早熟

秋夜月明，天邊只有零散的幾顆星，忽明忽暗，照著這對兄弟一邊閒聊，一邊走下天橋。

翌日。

時訣照常上了學，晚上放學回家，簡單洗漱。

他洗澡很快。關了水，浴巾隨便擦擦，光著腳走出浴室。

他來到衣架前，換上一件黑背心，一件黑色與亮銀交織的網狀棉麻上衣，一條帶著點綴的黑色長褲，配上腰帶。

拉開收納箱，裡面鋪了一層飾品。

他拿了一條細的皮項鍊，兩對耳釘，一對素面耳環。穿戴好後，他回去洗手間，抹了薄薄一層均勻膚色的面霜，用筆掃一下眉眼，然後塗了些髮蠟，將半乾不乾的頭髮向後捋了捋，露出額頭。

噴了香水，又做了點最後處理，全部搞定。

他的速度很快，全程大概十來分鐘，在大部分他這個年紀的學生，尤其是男學生眼裡，他這些步驟甚至可以說有些魔幻了，但對時訣來說，這樣的流程他再熟悉不過了。

他的父親是職業舞蹈演員，濃妝豔抹，盛裝打扮是常事。後來他來到這座城市，跟在崔浩身邊，經常充當童工，跟著ＳＤ的舞團參加各種活動，很多表演都需要化妝做造型，大多

活動都沒有替他們安排固定的化妝師，要自己處理。

對時訣來說，根據不同場合裝扮自己，就像沖個熱水澡一樣簡單。

準備好後，時訣揣上手機，出了門。

這頓飯約在一家較為隱蔽的私房酒館，私房到什麼程度，連招牌都沒有，不對外，都是會員制內部推薦，價格自然也高到離譜。

時訣到的時候，崔浩正在門口抽菸，一邊打電話。

他的臉上堆著平日裡絕對見不到的笑容，時訣還沒走到他身邊，崔浩掛了電話起身招呼他往後看。時訣回頭，見路口停下一輛車，車上下來五個人。打頭的兩女一男，都是三十歲左右，後面還跟了一對年輕男女，說說笑笑很活潑。時訣只認得走在最前面的林妍，她沒化妝，穿著寬鬆的運動服，半戴著口罩，看起來心情不錯的樣子。

崔浩迎了上去：「妍姐。」

林妍抬抬下巴：「進去說。」

一行人進到店裡，踩著暖色的燈光，走到內部包廂。這時，更裡面的房間出來一個人，走道窄，服務生開門，崔浩側身讓林妍他們先進屋。

她沒注意，擦到時訣後身。

「不好⋯⋯」那人抬眼，剛好時訣回頭看來，她停了一下，把話說完，「不好意思。」

時訣看著她，不等回話，兩三秒的功夫，他就被崔浩拉進屋了。

第五章 醉意

門關上了。

徐雲妮目光落在門上。

是他嗎?

肯定是吧,那個身材,那張臉,不存在撞臉的可能。

他是化妝了嗎?

男生、高中生、化妝……這幾個詞是怎麼組合到一起的?

跟他在一起的那幾個人……大概五個?六個?有年紀大的,也有年紀小的。

徐雲妮左右看看,店內大廳小,正門關得死死的,沒有窗戶,牆上掛著壁毯和畫,靠著正門有一個休息區,再往裡走是洗手間。店裡播放著輕緩的爵士樂,大廳內有個小吧檯,裡面有幾個人正在閒聊。

徐雲妮去了洗手間,然後回到自家的包廂,推開門,聽見李恩穎朗朗的笑聲。

房間裝潢是復古風格,一張原木長桌在中央,鋪著華麗的餐布,兩邊各安排兩個座位,桌子中間擺了精美的花朵裝飾,兩邊是菜肴與酒水,還有火腿、海鮮,和起司等下酒佐菜。

過了一下,進來一個廚師打扮的男人,趙博滿說是這家店的老闆,姓劉,是他的好朋友。劉老闆跟李恩穎打了招呼,趙博滿又介紹徐雲妮,徐雲妮先問了好,然後問:「劉叔叔,你知道隔壁是什麼人嗎?」

「隔壁?」

「對,我剛才看見幾個帥哥美女進去,有點好奇。」

「啊⋯⋯」劉老闆想起來了,「訂位的是一家娛樂公司的經理,另外那幾個年輕人我也不認識。」

趙明櫟明顯跟劉老闆很熟,開玩笑道:「帶來玩的嗎?劉叔,你們這是正經餐飲吧?」

「哈哈!」劉老闆被他逗笑了。

此時,隔壁也在介紹人。

林妍引薦那對成熟的男女,樂陽傳媒的李雪琳經理和經紀人張捷,然後是崔浩這邊。

「這是SD的老闆崔浩。」

李雪琳笑著說:「我特別喜歡SD的風格,很早就想認識崔老師了。」

崔浩:「不敢當不敢當。」

李雪琳:「這次真是巧了呢。」她看向時訣,又問,「這位是⋯⋯」

崔浩忙說:「這是我弟弟,也在我那當老師。」

一旁的女生打量時訣，好奇地問：「你多大了？」

時訣：「十九。」

女生：「你都十九了？你還是高中生嗎？是上學上得晚嗎？」

他回答她：「對。」

林妍跟崔浩和時訣介紹說：「這是若依和阿京，是公司新簽的孩子。」

不是上得晚，是因為時亞賢的病，他輾轉多地，休學了一年多。

這兩人均是精心打扮，尤其那個叫阿京的男生，一身名牌，毛邊上衣，破得稀碎的牛仔褲，兩條腿在裡面隱約可見，戴了幾個戒指，脖子上的項鍊也是一層接著一層，像瀑布一樣淌到胸口。

酒水飲品很快上齊，他們邊喝邊聊。

酒局整體氣氛很放鬆，林妍和李雪琳都是交際場的老人了，談笑風生。

房間裡瀰漫著醉人的香氣，眾人不知不覺已微醺。

房間裡還有小型K歌機，若依研究了一下，調暗頂光，打開氣氛燈，跟張捷和阿京在一旁唱了起來。

崔浩喝得多一點，臉頰泛紅，端著酒杯與李雪琳說：「李總，您看那個節目……」

李雪琳誠懇地說：「我知道你的想法，但這個節目現在贊助商盯得很緊，到時候公司也會來人看初選，真不是我說定就能定的。現在很多團體都推了人，各方都在協調，最重要的

還是節目品質。」

崔浩頻頻點頭，低聲說：「是是，這我知道，肯定的……」

旁邊忽然有人說：「都有哪些團體？」

李雪琳轉過頭。

時訣也喝了酒，兩顆輕微的紅，襯得眼睛黑得厲害，蕩著水波似的，專注地看著她。

李雪琳拿起酒杯抿了一口。

她說：「太多了，節目包給了大機構製作。」

崔浩說：「我看到你們合作的舞團了，其實，李總，我這麼說可能……」他猶猶豫豫說不出口，一旁時訣替他說：「您先看看他們的，再給我們一個機會，您自然就明白了。」

李雪琳：「喲，你這麼自信啊？」

時訣笑著說：「是真的嘛。」

李雪琳想了想，問崔浩說：「你們的作品有影片嗎？」

崔浩心裡罵了一句，早知道就提前準備一份了，他有些懊惱地說：「我還沒來得及，最近一直在做妍姐的舞蹈……」

「我之前在家錄過一版，」時訣拿出手機，「不過有點簡陋。」

李雪琳和林妍湊在一起看了一遍，李雪琳的手在螢幕上滑動幾下。

「挺好的，就是有點暗，這能放大嗎？」

第五章 醉意

「放不大。」

「這樣是不是看不清楚細節。」

時訣笑笑,說:「要麼這樣,我來跳一遍吧。」

李雪琳驚訝道:「現在嗎?在這?」

時訣說:「地方是小了點,您看下大體感覺。」

李雪琳說:「行行行,那你跳吧。」

時訣起身,拿著手機到音響旁邊,連上藍牙。若依瞧見了,過來問:「幹嘛?你要跳舞嗎?」

時訣:「嗯,幫我把燈調暗一點。」

他整理衣服,稍微一動,身上就擦出了淡淡的香味,若依忍不住多看了兩眼。

「……怎麼還要調暗啊?」

「我臉皮薄啊,見不得光。」

那聲音落在若依耳朵裡,蜻蜓點水一樣,輕輕的,癢癢的。

舞蹈是崔浩拉著時訣研究了老久的,他為自己的心上人下足了功夫,編排品質非常高。

時訣在舞曲的節奏下鋪了幾層提琴的底調,雖然節奏偏快,卻是一首綜合著激昂與傷感的悲曲。

時訣手長腳長，比例完美，他有著扎實的現代舞和街舞功底，這支曲子對他來說實在小菜一碟。他的動作沒有做滿，只到六七分的程度，框架仍是極大，有許多細節，在簡約的服裝襯托下，越發游刃有餘。

他把燈光調暗了，看不清臉，正因這一抹模糊，更顯朦朧。

時訣跳完，屋裡人稀里嘩啦鼓掌，若依還在旁吹口哨，超級捧場。

全場只有一個人很淡定，就是見慣了時訣跳舞的崔浩，他看著時訣隨手撥弄前額，擋住視線，有些不好意思似的模樣，心道裝還是你會裝。

不過還真有人吃這套。

李雪琳關心地問：「怎麼了呀？」

時訣綿綿的「哎」了一聲，說：「我真喝多了，要不然您把剛剛忘了吧。」

林妍：「跳得這麼好，幹嘛要忘啊？你臉怎麼還紅了，也沒喝多少吧？來，過來坐。」

時訣被林妍拉過去，坐進沙發裡，他接過她遞過來的酒，林妍跟他碰了一下，兩人一飲而盡。

臉紅倒不是裝出來的，主要時訣酒量普通，而且剛喝完就跳舞，雖然舞蹈動作做得挺大，但其實全程核心都要用力，配合著呼吸，控制身體。

他捏捏後脖頸，難受道：「暈死了……」

林妍說：「你酒量不太行吧。」

「跟林老師肯定比不了了。」

「別叫我老師了，我們誰上誰的課啊？你跟崔浩一樣，就叫我姐吧。」

「看起來不像比我大啊。」

「哎呦！」林妍嘴裡的水果差點沒噴出來，啼笑皆非地推了他一把，「你跟誰學的，太假了！」

「我哥。」

「崔浩是這風格啊？」

「是唄，」時訣兩肘撐在腿上，看著前方跟李雪琳點頭哈腰的男人，「不然怎麼追個女人追成這樣了。」

林妍笑著說：「我跟你哥認識這麼多年，他是真正的性情中人，就是有時候腦子確實不太靈。」

時訣也笑了，偏過頭看她，「妳要是不喜歡，我就不說了。」

林妍看著這雙因醉酒而晶瑩迷蒙的眼睛，「別啊，出來玩不就是為了開心嘛，我跟崔浩是老熟人了，沒什麼顧慮的，大家都是高興說什麼就說什麼。」

時訣倒著酒，林妍靠近些，問他說：「剛剛你錄的影片裡，我看到製作設備了。你跳舞的這首歌，跟崔浩女朋友之前在綜藝舞臺上用的那首，編曲味道一模一樣，該不會都是你做的吧？」

「那麼俗氣的歌也能編成這樣?」

「嗯。」

若依那邊在唱歌,時訣看著前方跟李雪琳結結巴巴講自己作品創作想法的崔浩,一時沒聽清林妍的話。

「怎麼不說話?」林妍歪過頭,「不高興了?你誤會了,我不是說你的編曲俗,是原曲。」

時訣回神,視線落下些,看著林妍歪著身子睜大眼睛看他的樣子,笑著說:「幹嘛呢?這次真的不像比我大了啊。」

酒精都沒刺激到的臉頰,被他一句話催熱了。

林妍喃喃道:「你打哪冒出來的呢……我太喜歡你的編曲風格了,你作曲怎麼樣?跟我合作一次吧?」

「行啊,」時訣說:「不過我有點貴哦。」

被調暗的燈打在他雋秀的眼眉上,留下碎碎的陰影,從下頷,到喉嚨,再到鎖骨窩,一條長長的綿延線條,亮著柔光。

酒是一杯接一杯地喝,後腦勺是一寸接一寸的疼。

林妍沙場老將,紅白啤三班倒,什麼事都沒有。時訣一路奉陪到底,喝到最後,林妍醉醺醺的,拉著他講些有的沒的。時訣胃裡燒得厲害,最終於撐不住了,跟林妍說:「林老

師,我出去點個果汁。」

林妍揚揚頭,跟崔浩打個招呼就走了。

時訣離開包廂,沒有去點果汁。

洋酒後勁強,他一站起來,腦子一陣發昏,差點沒栽倒,他實在不舒服,直接去了洗手間。

在他試著能不能催吐的時候,外面張捷和阿京也進來了。

他們解了手,在洗手檯說話。

「你看到沒,剛才那小子,那舞跳得真不錯。」

「有什麼了不起的,舞又不難。」

「就是不難才能看出水準呢。」

「我跳得不比他差好嘛!」

張捷笑道:「就你那基本功跟人家比?」

阿京不滿:「怎麼了!」

張捷感嘆道:「嘖,不怪林妍非要把我們喊來,這條件要是能招進公司⋯⋯」

阿京冷冷道:「還要招?你沒看見他剛才那樣?狐狸精似的,他怎麼不直接跪老闆腿中間開舔呢!」

張捷哈了一聲。

「死媽的玩意!」阿京咬牙切齒地罵著,「老闆別被他騙了!早知道我就不來了,看得一肚子氣!」

張捷無奈道:「跟你說了多少次了,在外面說話注意點,嘴別太髒,你什麼都挺好,就是要養養性格⋯⋯」

兩人聲音漸小,離開洗手間。

時訣稍微定了會神。

頭頂的燈光烤得人渾身焦熱。

他被酒精嗆得迷糊,忽然胃裡一陣翻江倒海,彎下腰,將酒菜一股腦吐了出來。

一直吐到只剩乾嘔。

時訣喘勻氣息,出了廁所隔間,來到洗手檯,漱了漱口。

抬起頭,看見鏡子裡的臉。

本來洗手間燈光就白,加上吐完,又將面頰去了層血色,襯得這雙狹長的眼越發的黑,眼底和嘴唇卻被激得通紅,整張面孔看起來霧濛濛的。

他用涼水冰了手,卡著脖頸降溫。

周圍靜得能聽見清晰的耳鳴。

時訣對著鏡子裡的自己,稍稍轉動下頜,左右晃晃。

驀地笑了出來。

第五章 醉意

別說，是有點像。

回去的路上，走到一半被喊住。

時訣轉過頭，在吧檯旁邊的吸菸區看到喊他的若依，還有阿京、張捷以及徐雲妮。

時訣在原地站了三四秒，酒精上頭，太陽穴的神經像被什麼東西挑動著，一跳一跳的。

阿京跟身旁張捷說了幾句話。

若依還在叫他：「時訣，過來啊。」

時訣嘴角意味不明地動了動，他走了過去。

張捷看到他，笑著將菸和打火機遞過去。

時訣也笑著，抽出一根。

「你去點果汁了？」若依問。

「沒有，喝不下了，頭暈。」

「是醉了嗎？可能是喝完酒又跳舞，這樣很容易不舒服的。」

時訣點了菸，甩甩打火機，還給張捷，有些含糊地說：「……可能吧。」

他好像有些累了，倚在桌檯旁，左肩稍沉了點，衣服就落下些，露出一側清晰平直的鎖骨，連著脖頸修長的線條。

若依的視線若有似無掃過時訣的領口，忍不住說：「你這衣服真好看，什麼牌子的？」

「沒牌子，便宜貨。」

「真的假的？看起來很有質感啊。」

「可能不是衣服有質感呢。」

時訣言語輕飄飄的，溫柔又細膩，若依特別喜歡聽他的腔調，順著他的意思問：「那是什麼有質感？」

時訣的視線落在她的臉上，輕聲說：「我唄。」

那聲調，配合著眼神，像虛空勾勾人下巴一樣，若依摀住嘴巴：「哎呀，你誇起自己真不臉紅。」

時訣當然不臉紅，他很耐心地跟她解釋：「妳看啊，有的人穿得再簡單都好看，有的人穿得再華麗都很醜，為什麼呢？因為人好看。有的人穿得再華麗都很醜，為什麼呢？」挑了挑眉，「因為他媽的人醜。」

現場穿的最華麗的人是誰？是阿京。

若依忍不住，「噗」的一聲笑出來，「真損。」

阿京當然聽出他的話外之音，十七八的年紀，容易被點著，他的臉唰一下紅了，咬著牙就衝了過來。

那拳頭都揚起來了，張捷趕緊擋在他身前，拍拍他手臂。

時訣睨了一眼，直起身，淡淡道：「幫我跟崔哥說一聲，我有點喝多了，先走了。哦對了，讓他把林老師聯絡方式給我。」

阿京旁邊聽著，整個人快要炸了一樣。

「好，」若依意猶未盡，試著挽留，「你怎麼走了，這才到哪啊？再待一下吧，或者我們換個地方接著玩？」

「再喝要死了，你們玩，有機會再約。」時訣朝她笑笑，熄了只抽了一半的菸，徑直離去。

阿京緊盯著門口，陰沉著臉說：「別讓我找到機會，我非他媽弄死你……」

徐雲妮瞥了阿京一眼，又看了門口一眼。

要說她為什麼出現在這裡，其實是意外。

他們那邊吃得差不多了，準備結帳，劉老闆要讓他們免單，趙博滿堅決不肯，兩人在屋裡推拉了一陣子，李恩穎讓徐雲妮偷偷去結了。她去前檯結帳，從包廂出來的時候就看見那夥人聚在休息區。她結完帳從前檯拿了塊免費的糖，路過休息區，走過去拆包裝。

但他的一切表現，徐雲妮都瞧見了。

他全程沒有跟徐雲妮說一句話，也沒有看徐雲妮一眼。

她把包裝紙丟到垃圾桶，那夥人又拉扯了幾句，時訣就出來了。

就聽見那男生在罵，「……那騷東西怎麼不把領子再扯大點？」

張捷有點奇怪，說：「他怎麼從洗手間出來的？」

阿京冷笑道：「出就出唄，你怕他剛才在啊？在就在了，他能怎麼樣？」

再然後,她看到了那番攻擊性超強的片段。

酒館外。

夜風並沒有讓時訣的腦子變得清醒,反而他的胃因為一連串的刺激,加上張捷那根焦油量極高的菸,搞得更噁心了。

他盯著街道對面,面無表情,視線也沒有落處。

片刻後,他順著小路往前走,走了半條街,胃裡還是難受,最後實在太暈,找了個牆根背靠著蹲下來,兩手按在額頭上,拇指死死掐著太陽穴。

然後,他的肩膀被碰了一下。

時訣睜眼,視線裡多了一雙運動鞋,配上藏藍色的直筒校服褲。

再往上瞄十公分。

一雙黑漆漆的眼,將他從頭看到腳,再從腳看到頭,最後來了一句——

「班長,是你吧?」

好問題。

「不是。」他回答。

一開口,胃裡一抽,又一陣噁心上來,他皺著眉低下頭。

他情緒不好,徐雲妮心想,聲音比往日涼了很多,不想多說話的樣子。

第五章 醉意

徐雲妮看看周圍，這不算是主要幹道，但人流量也不低，兩側店鋪林立，光影照耀，有的店放著音樂，配合著路上車輛帶出的呼嘯風聲，是屬於大城市夜晚獨有的喧囂。

時訣聽見腳步聲走遠。

他也想換個地方，但現在腦袋迷糊，路口的汽油味太重，便利商店旁還有人抽菸，加上一呼一吸間濃烈的酒氣，讓他頭昏腦脹。

大概過了三五分鐘，身前又出現聲音。

時訣再次睜開眼。

「……喂？我有點事出來了，已經結完帳了，你們不用等我。」

徐雲妮用耳朵和肩膀夾著手機說話，兩隻手撐著一瓶剛買的水。

「……好，好的，我知道了，放心。」

徐雲妮掛斷電話，同時也撐開了水，遞過來。

她感覺時訣的眼睛比剛才更紅了，額頭和太陽穴的位置，因為手掌的擠壓也泛著紅暈，這麼從下往上一瞄，視覺效果十分驚人。

她說：「剛剛那女生都喊你名字了，班長。」

順利破案的大聰明。

時訣盯著那瓶子看了一陣子，久到讓人懷疑是不是喪失了五感能力，最終還是架不住嘴裡味道太噁心，他把水拿過去。

他先漱了漱口，吐到一邊，然後喝了半瓶。喝得有點急，有幾滴水從嘴角流出，順著的脖頸滑落進身體裡。

他用手掌在自己下頷一擦，抹掉了水痕。

不知是否因為遠離了校園，又被酒精激發了內在本質，他這形象，看起來比平時衝擊力強多了，就像是白天素然的街道，到了晚上突然亮起絢爛的霓虹，周圍的人走過路過都偷偷往這瞄。

後方甚至有人吹了聲口哨。

徐雲妮轉頭看，是兩個打扮時髦的女生，臉上像開了花似的朝著這邊笑。

徐雲妮再看班長，他朝她們揚了揚下巴。

徐雲妮思考三秒，是要月老牽線還是法海附身，最終，她向前半步，把這情意綿綿的通道堵上了。

其中一個女生笑著對她說：「一起來啊。」

可能是徐雲妮的神情過於煞風景了，她們終究沒走過來，直接離去了。

回過頭，時訣後腦枕在牆壁上，靜靜望著她。

蒼白的臉頰，泛紅的眼，有意無意的神色，絲絲入扣。

「妳怎麼在這？」他聲音沙啞地問道。

徐雲妮：「今天我家裡聚餐，正好也在那家店。」

「喲，」他嘴角含著笑，「在這聚餐，妳家挺有實力啊。」

徐雲妮：「班長，請你正經點。」

他笑意消失，淡淡道：「那妳聚餐怎麼聚大街上來了？」

徐雲妮看看自己的落腳地，說：「我剛才看你出來的時候狀態不太對，想看看你需不需要幫忙。」

時訣聞言，眼睛一瞇，帶著醉意考究。

徐雲妮說：「班長，你喝醉了就別在大街上晃了，趕緊回家吧。」

時訣：「妳一路尾隨我？」

徐雲妮頓了頓：「什麼？」

尾隨？

時訣眼尾一挑：「真變態啊，還讓別人正經呢。」

他聲音很輕，神色像是警覺的貓似的。

面對著這位發癲的午夜精靈，徐雲妮靜了一陣子，說：「班長，你還沒從剛才的情景裡抽身嗎？」

「……剛才？」他裝傻道：「剛才怎麼了？」

「我怎麼知道？」徐雲妮上下看看他，「你打扮成這樣在那幹什麼呢？」

「看不出來嗎？」他低頭看看自己，然後摸摸頭髮，聲音和動作都因為醉酒而變得渙散而隨便，「陪酒啊。」

徐雲妮又靜了幾秒，然後問：「那幾個年輕人也是嗎？」

時訣沒說話。

徐雲妮點了點頭，忽然又說：「那你最後跟那個男生起衝突，是因為你行頭沒他貴嫉妒他，還是因為搶客人沒搶過，惱羞成怒？」

一句話說完，他撥弄頭髮的手停下了。

泛紅的眼神從下往上挑來，甚至染上點凜冽。

「……妳故意的是吧？」他低聲問。

這下輪到徐雲妮不說話了。

時訣撐著牆壁想站起來，突然起身，眼前一陣發黑，耳鳴加劇。

徐雲妮下意識去扶他，時訣撥開她：「別碰我……」

徐雲妮鬆開手，結果他身體失衡，啪唧一下坐回地上，摔得劇痛，五官都皺到了一起。

徐雲妮完全沒料到他已經暈成這樣了，有點無措。

「不是，你讓我別碰我就……」

她說著，忽然感覺自己的視野有點古怪，剛剛蹲著的時候沒有注意，現在他摔得兩腿張開，這腿實在太長了，把她完全含在中間。

第五章 醉意

原來他們離得這麼近嗎？

徐雲妮的視線不自覺地往旁邊移了點。

時訣還是沒緩過來，發出痛苦的呻吟。

徐雲妮聽了一下，視線慢慢移回，她看著他難受的模樣，最終還是蹲到他面前，再次拉住他的手臂。

時訣還想甩開她，但這次沒成功，徐雲妮抓緊他，架著往上用力，她說：「班長，是我記錯了，剛那男生趁你不在說你壞話，看面相就是個小人，肯定是他先招惹你的。還有他那手錶，仿得是不錯，但我跟你保證絕對是假貨。班長⋯⋯你怎麼這麼重？」

這攙扶的過程裡，她一直不停地說著話。時訣腦子嗡嗡響，不太聽得清內容，只胡亂覺得是一道平穩的女中音，算得上安神。

徐雲妮努力把他扶起來，讓他靠著牆壁站好。

再三確定他站穩之後，她轉身去路邊叫車。

剛好過來一輛，徐雲妮直接攔下，打開車門，對時訣說：「上車吧。」

司機轉頭，一看時訣那模樣，立刻說：「不載喝醉的。」

徐雲妮不管他，直接把快暈過去的時訣塞進車裡，說：「大哥，幫忙送一下。」

司機不滿道：「真的不行，他一個人更不行！有個好歹的怎麼辦？下去下去！」

徐雲妮：「大哥，幫個忙好嗎？」

司機說：「不行，安全起見，不載醉鬼，快下去！」

徐雲妮也跟著坐了進去，「這樣不是一個人了，走吧。」

司機還是不想走，時訣渾渾噩噩準備下車，徐雲妮一把抓住他的手臂把他按住，她無視司機厭煩的臉色，直接給了他常在麵館的地址，說：「先去這裡。」

車出發了。

這司機可能來了脾氣，開車毛躁，加速剎車都很急，來回晃了幾次，徐雲妮都有點被晃噁心了。

「大哥，開慢點好嗎？」

徐雲妮觀察時訣，他靠在椅子上，雙眼緊閉，臉色發白，眉頭皺著，明顯是不舒服。

她時刻保持警惕，忽見他胸口一抽，趕緊說：「哎！大哥！路邊停一下！」

司機一個急剎車，伴隨著嚴厲話語：「別吐我車上啊！」

時訣本來吐過一次了，但剛才喝了半瓶水，導致又有東西能吐了。

「忍一下！你先忍一下！」徐雲妮趕緊探身過去，把車門拉開，將他上半身送出車外。

時訣又吐了一番。

司機在前座不停抱怨，什麼車裡又有味道，座位又髒了，早說了不拉醉鬼，徐雲妮聽煩了，直接結帳，半路下來。

她從口袋裡掏出衛生紙給時訣，然後又去路邊攔車。

第五章 醉意

時訣再次清空了胃，好不容易緩過來些。

這條路很靜，人煙稀少，路燈間隔超級遠，她站在樹下，身影疊在濃黑的夜色裡。小路內側有個花壇，他坐在石沿上，擦著手，看著前方路邊的人影。

濕巾緩緩擦過一根根手指。

徐雲妮回頭的時候，對上了那道直白的視線。

她問他：「班長，你好點了嗎？」

他看著她，淡淡道：「拐我來這想幹什麼啊？」

「……拐你？」徐雲妮無奈道：「班長，請你清醒點吧，還真把我當變態了？」

他吊著眼梢，嘴角噙著諷刺的笑，反問她：「不是嗎？那妳剛才為什麼壓在我身上？都是平時穿得有點多？他有點意外的發現，這人的骨架，其實挺纖細的。

他不說話了。

徐雲妮一頓：「我什麼時候你身上了？」

徐雲妮突然反應過來，剛才在車上，她怕他吐車裡，探身過去幫他開門，確實算壓在他身上了。

「摸到哪了嗎？」

「不是，那是你當時……」徐雲妮指著剛才計程車開走的方向，幫他糾正記憶，「是你

要吐,你還記得嗎?我怕你吐車上,我過去幫你開門,我可能不小心碰到你了,但我絕對不是故意的,你怎麼會這麼想?」

她剛說一半,時訣就把頭轉到另一邊了,迷迷茫茫的,好像被花壇裡的繡球花吸引了注意。

「你……」

無言到家。

徐雲妮呼出一口氣,接著去路邊叫車。

就在她轉過身的三五秒後,時訣笑出來了。他覺得很搞笑似的,低頭看著手中的濕巾,差點笑出聲。他笑著笑著,忽然感覺到什麼,眼神往前方挑起。

她站在黑暗中,偏過頭,也許是在看來車的方向,也許是……

時訣稍稍含住嘴唇,眼神一點一點往旁側勾去。

什麼時候轉過來的?

……看到了嗎?

看到也沒什麼吧。

他醉醺醺地想著,身邊是蓬勃飽脹的繡球花,碎碎的花瓣,粉紫相交,有整有殘。

蒼白冰冷的面孔,緩慢長吸一口氣,兩手移到身後,撐著身體,仰頭看天,對著天邊同樣蒼白冰冷的星月,遙相凝望,相對無言。

第五章 醉意

不多時，徐雲妮又攔了一輛車。重新出發。

這次的司機開車平穩，話也不多，安安靜靜。

後座上，兩人一個坐左邊，一個坐右邊。

時訣連吐了幾次，雖然還是很難受，但胃裡比之前好一些了，頭也沒有那麼暈了。

小小的空間裡，充斥著酒精和香水，還有淡淡的酸腐味。

剛才情況混亂，感受還不深，現在穩定下來了，氣味越發明顯。徐雲妮不懂香水，也從來沒用過。她感覺時訣剛進來的時候，是一股木質味，後來久了，味道緩和了，就變成了帶著脂粉氣的花香，這種香味被酒氣混合，又泛著些微的苦，很複雜。

車行駛在夜間的小路上。

安靜許久，徐雲妮忽然想起什麼，轉過頭來。

時訣頭枕在椅背上，正閉目養神。

這人平日看起來瘦，完全得益於比例、膚色，和一張小臉。現在離得近了，體格真的很大一隻，這樣坐著，大腿的褲子繃得緊，還能看出隆起的肌肉。剛才攙他起來，也是重得要死，重量都藏在身上。他可能是嫌熱，袖子擼到手肘，露出一雙冰白的小臂，修長結實，一絲贅肉都沒有。

她正看著，時訣開口問：「總盯著我幹什麼？」

開著眼了，閉著眼睛都知道有人在看他。

徐雲妮說：「剛剛忘了跟你說了，你最後在店裡那些話可能讓那個男生不高興了，他說有機會要弄死你。」

時訣：「那妳要救我嗎？」

外面超過一輛車，嗡嗡的引擎轟鳴而過。

他偏過頭看她。

徐雲妮始終覺得，時班長長得最好的就是這副眉眼，偏細的眉，又那麼的黑，眼瞼瞳孔，清晰分明，戲謔時看不太出來，一旦平靜下來，總像有好多話在說。

見她不回答，他隨口道：「真無情，那就讓他弄死我吧。」

徐雲妮淡淡道：「不是，你們搞藝術的人都這麼有性格嗎？」

時訣淡淡道：「『你們』？」

徐雲妮細數：「你、丁可萌，還有王泰林，我感覺你們……」

她剛說一半，他就動了。

與其說靠過來，不如說是滑過來，後背擦著座椅，發出簌簌聲。

是錯覺嗎？他的頭髮似乎碰到她的肩膀。

他問：「在妳這，我跟他們是放一起比的？」

不知為何，此情此景下，徐雲妮的耳邊忽然響起了丁可萌的魔音——「妳看他那樣，一臉薄情相，天生花花公子聖體，那方面很不當回事的啦！」

徐雲妮的餘光裡，見他半匿於髮間的耳垂，銀色的釘、銀色的環，在幽暗的車內，隨著司機轉彎，稍微顫了顫，反出一瞬冷光。

徐雲妮抬起手，把這已經要倒到她身上的人推回原位，看著窗外，說：「不，他們跟班長你比不了。」不管從哪方面來講。

車上再度安靜下來。

不知過了多久，徐雲妮聽到手機震動的聲音，大概兩三聲，她看過去。

濃黃的路燈照著樹杈的影子，一條條掠過時訣的臉龐。

他居然就那麼抱著手臂歪著腦袋睡著了。

手機掉在座位上。

徐雲妮叫他一聲，沒動靜。

徐雲妮想推他，手都伸出去了，看他垂頭沉睡的樣子，又停下了。最後，她把他的手機拿出來，上面來電顯示「崔哥」。

徐雲妮接通電話。

對面上來劈頭蓋臉一番發言，『你怎麼搞一半就跑了呢？林妍還找你呢，我說你實在難

受先走了。哎對了，你先別回家啊，我還有事跟你說。』

徐雲妮說：「你好。」

那邊靜了幾秒，然後疑惑道：『……妳誰啊？這不是時訣電話嗎？』

「是，他睡著了。」

『……什麼？』

「是這樣的，」徐雲妮簡單介紹了情況，「我是他同學，剛才在外面碰到他，我們搭一輛車走。他喝多了，在車上睡著了。」

『……同學？搭車？』對面好像也喝了不少，遲鈍又疑惑，『那他說他要去哪？』

「回家。」

『……』

『妳幫我把他喊醒。』剛說完，又改了主意，『哎，算了，讓他休息一下吧，我給妳個地址，麻煩妳幫我把人送去那。』

掛斷電話，徐雲妮對司機說：「大哥，不好意思，我換個地方。」

最終，車停在SD門口。

時訣仍在睡，頭垂下來，頭髮也垂下幾絲，嘴巴微微張著。

這麼看著，少了幾分清醒時的鋒芒。

徐雲妮看了片刻，低聲對司機說：「大哥，這樣，我多給點車費，您等他醒了再走，我預估不用多久，您看可以嗎？」

第五章　醉意

這司機比上一個好說話多了，說：「好。」

「太謝謝您了。」徐雲妮付了錢，下車。

她已經盡可能小聲關門了，但那聲音還是讓時訣在後座撐著肩膀震了一下，迷迷濛濛睜開眼。

司機剛準備玩一下手機，就瞧見時訣在後座撐著坐起來了。

「這麼快就醒了。」

司機說：「剛才你睡著了，你同學幫你接了個電話，把你送到這來。」

時訣拿來手機，看到崔浩的來電記錄。

司機還挺誠實，又說：「你同學說讓我在這等你一下，她多付了車費，結果剛走你就醒了，怎麼說，我還回去？」

時訣睡出了深深的雙眼皮，眼底發紅，緊皺眉頭，看了看窗外，好像還沒搞清狀況，聲音發啞地說：「⋯⋯不用了，我還吧。」

徐雲妮按下車窗，時訣彎下腰，在窗前看著她。

徐雲妮在路口攔了一輛計程車，剛上去，還沒來得及說地方，外面有人敲了兩下玻璃。

開門下車。

「你醒了？剛才有一個叫崔——」

「我知道。」時訣打斷她。

車流、行人，和秋夜的風，交織在一起。

徐雲妮看著他，說：「班長，你好點了嗎？」

時訣聽她的話，嘴角一扯。

徐雲妮發現他臉頰上有一顆小痣，平行於他左邊嘴角兩三公分的地方，嘴角一動，就會跟著動一下。

他這算是笑嗎？徐雲妮搞不懂，說是笑，嘴角弧度其實是向下的，說不是笑，以徐雲妮目前的閱歷，又不太好解釋。

他離得很近，眉眼、輪廓，越發清晰，皮膚在路燈的照耀下，呈現暖白瓷器般的質感。

徐雲妮覺得，當下的一切忽然之間有點奇怪，包括畫面、氣味，還有街道上那些細細碎碎的背景音。

環境之中有種輕微的眩暈，大概是酒精作祟。

時訣看了看旁側馬路，又轉回頭來。他稍抬起下巴：「加個聯絡方式吧。」

徐雲妮拿出了手機。

兩人添加了好友。

時訣收了手機，轉身走了。

徐雲妮看著他的背影，忽然叫他：「班長。」

時訣回頭。

第五章 醉意

徐雲妮說：「下次別去了吧，你媽媽知道會不高興的。」

時訣看著她，沒說話。

徐雲妮又想起王泰林那件事，想著要不要趁這個機會一併跟他說清楚。

剛要開口，忽然一陣輕風過。

他打過髮蠟的頭髮經過一夜的折騰，已經鬆散了，有幾縷髮絲垂在額前。

人行道兩旁開了許多小店，亮著各種顏色的燈牌，藍色的、綠色的、紅色的……霓虹燈影照在他的身上，為那張臉添加了縷縷色彩。

但也許是因為他太疲憊了，明明人是精緻的，景也是絢爛的，兩廂疊加在一起，卻給人一種寂然的錯覺。

徐雲妮頓了一下。

反而時訣開了口。

徐雲妮：「可以嗎？」

「管的真多，」他懶懶道：「要不然班長換妳當？」

徐雲妮「呵」了一聲，前座司機催促：「要走了，後面來車了。」

徐雲妮關上車窗：「好，走吧。」

第六章 Silent Dancing

過了尖峰時段，車行駛起來比剛剛順暢許多。

路口轉了個彎，後視鏡裡時訣的身影就不見了。

徐雲妮拿起手機看，剛剛添加的好友，名字是「SD舞蹈工作室時訣」。

有點長，她把他備註成班長，然後點開他的動態。

有點出乎預料，時訣的動態相當豐富，有一些活動內容，還有風景、街道，以及各種小東西的照片。他好像很擅於觀察，也很隨性，碰到什麼就照什麼，包羅萬象。

在沒什麼藝術細胞的徐雲妮眼裡，這些照片都很好看，不複雜，沒有什麼特別的濾鏡，也沒有風格不一樣的，丁可萌是專門拍人，時訣則完全不拍人，即使拍到了人，大多也只是景物的陪襯，自然之餘，多少有點冷感。

除了照片，剩下大部分都是音樂片段，標記著一串串複雜的序號，以及一些小朋友的舞蹈影片。

影片下方有定位,正是剛剛計程車停下的位置,叫 Silent Dancing。

徐雲妮試著用ＡＰＰ搜了一下,這是一家舞蹈培訓機構,點開店鋪評價,一則最新評論裡有人說:『帶孩子來試課,老師非常專業,很有耐心,孩子特別喜歡。另外,少兒班的老師真的太太太帥了!長了一張能讓人忘記煩惱的臉!實力超強!拿過好多獎!聽說還是個學生呢!』

徐雲妮試著點開,並沒有看到那張所謂「能讓人忘記煩惱的臉」。照片拍的是背影,一個人跟一堆小學員在一起,他穿著黑色的衣服,抱著手臂,倚在鏡子旁。

雖然是背影,但他的身材太容易辨認了。

小學員對著他笑,照片裡看不到他的臉,但徐雲妮猜想,他應該是笑的。

不知看了多久,眼睛都有點痠了,徐雲妮放下手機,靠在車椅上休息。

已經很晚了,ＳＤ大門已關。

時訣從一旁的小巷子繞到側門進入。

舞社人差不多都走光了,為了省電,教室的燈都關了,長長的走廊只開了一盞壁燈,又靜又暗。

他直接上了樓。

二樓練習室沒有鎖門。

時訣進屋打開燈，手機連上藍牙，倒在角落的小沙發上，又躺了一下。

音響裡隨機播放了一首純音樂，密集的音符順著月光流淌下來，時訣半睡半醒，翻了個身，正好看見沙發旁的地上放著的空水瓶。

……他把這東西拿回來了？

他都記不住了。

時訣伸手，把空瓶子拿過來，隨便轉了轉，轉到了商標正面。

他一頓，緩緩坐了起來。

這是一瓶無糖的茉莉烏龍茶。

可能剛剛處於迷醉之中，也可能是口感喝起來太過日常，所以他直到現在才注意到。

他的視線停在那個商標上，停了一陣子，最後頭偏開，同時口中「哈」了一聲。經過一路的休息，他的狀態回來了一些，使得這一聲聽起來比一晚的沙啞清澈許多。

他把瓶子放身旁，倒回沙發，換了個更舒服點的姿勢，兩條長腿一腿踩在沙發上，一腿大剌剌地落在下面。

他拿出手機，點開徐雲妮空無一物的動態。

剛加上時看了一眼，什麼都沒有，背景圖是一張純黑的圖片，名字用本名，一眼到頭。

跟她本人的風格很像。

頭貼倒是挺好玩，是五個女兵的版畫圖案，配著一串字母。

第六章 Silent Dancing

徐雲妮剛剛踏入社區，往家走著，手機震了一下。

是時訣傳來的訊息：『搭車多少錢？』

徐雲妮回覆：『不用了。』

時訣：『？』

徐雲妮停住腳步，想了想，然後劈里啪啦回覆了一長串。

『剛才有件事我沒來得及說，王泰林都告訴我了，你之前出面幫我忙，和在學校樓梯那次，我都沒弄清楚就說你了，不好意思。』

『還有丁可萌在麵館的時候，會謝謝你。』

傳完這則，徐雲妮站在原地沒動，等著訊息。她閒來無事，看看周圍的植物，以及草坪上的卡通燈，燈裡面不知怎麼飛進了一隻蟲子，在裡面繞來繞去。

手機震動，她以為是轉帳，沒想到他問了一句——

『妳的道歉加感謝綁一起就值四十啊？』

徐雲妮頓了頓，看著這句話，思索片刻，回覆。

『那我再請你吃頓飯？』

靜了一下，他回覆。

『妳搭車到這有三十塊錢嗎？辦這麼多事？』

『有，三十二，我付了四十。』

『就這麼喜歡請客吃飯？』

徐雲妮頭歪了歪。

那你到底要怎樣？

她其實沒太搞明白，明明是他提要付車錢，最後竟然繞到她要請客吃飯的地步。

她拿起手機，剛要打字，他又傳來一則。

『行吧，吃唄。』

徐雲妮甚至能在腦海裡模擬出時班長打出這句話時風涼的眼梢。

她把輸入欄裡的字都刪掉了。

定好了吃飯，話題就結束了。

SD的舞房內。

時訣躺在沙發上，閉眼瞇了一下。

頭還是疼，應該是供血不足，疼痛從後脖頸開始，蔓延整個腦袋。

音響裡放著低沉舒緩的曲子，一首義大利革新音樂領域的出色作品，古典音樂出身的作者，同時也深受電子音樂的影響，自由的創作風格，非常注重旋律的表達。

在提琴聲快要將他哄睡著的時候，練習室的門開了。

崔浩回來了。

第六章 Silent Dancing

崔浩看起來心情很不錯，雖然累，但周身泛著興奮。他的酒量比時訣強很多，但他是容易臉紅的體質，酒氣衝得臉和四肢都泛了紅，眼睛血絲密布。

時訣緩緩坐起來，關了音響。

崔浩走到窗邊，打開一半窗子，點了根菸，對外面抽了幾口。

「你怎麼一半就走了？」崔浩側過身子，看著沙發上晃脖子的時訣，「林妍還問你呢，我說你實在不舒服。現在怎麼樣？」

「……好多了。」

「喝猛了吧？」

「有點，」時訣低聲說：「林妍真能喝啊，這輩子沒吐成這樣過。」

「你吐啦？林妍肯定能喝啊，那什麼選手，我都不一定能喝過她。」

崔浩倚在窗框上，把菸遞出去彈彈灰，「剛才有個女生接電話，你碰到你同學了？」

時訣揉了揉臉，「嗯」了一聲。

崔浩抽口菸，瞇著眼看他，問：「你怎麼還跟人共乘呢？」

時訣：「省錢。」

崔浩嗤了一聲，說：「行。」他也不過多糾結這個，又吸了口菸，指指他，「還得是你，今天多虧有你。」

時訣不甚在意地「嗯」了一聲。

崔浩說：「真的。」

也許是喝了酒的緣故，崔浩的聲音聽起來比往日誠懇不少。

「我知道雯子他們私下都怎麼說的，你能幫我，哥謝你了。」

「差不多得了。」時訣轉過頭看他，「你跟他們都商量完了？」

「基本定了。」

「那就行，」時訣又問，「那你叫我回來幹嘛？」

崔浩笑了：「什麼表情，正經錢！這是他們經理幫那兩個小崽子交的學費，還有林妍的訂金，她想先找你試個 demo。」

「訂金尚能理解。」

「學費？」

「嗯，樂陽要送那兩個小孩來培訓，正好我準備開個集訓班，你來負責。」

「……什麼？」

「店裡一分錢不抽，全是你的，怎麼樣？哥夠意思嗎？」

時訣看著崔浩，說：「你真的喝多了，我還要上學呢。」

「嘿，是好事，你沒注意手機吧，」崔浩示意他，「你先看看。」

時訣把手機拿過來，大概十分鐘前，進來一則簡訊，是銀行傳來的。

他看看收入的數字，又回頭看崔浩。

「安排在晚上，不耽誤你上學，你原來的課我安排給別人。」崔浩指著他，「你學校的畢業生都削尖了腦袋要往樂陽進，你本末倒置啊。」

時訣翻了個無言的白眼。

崔浩看他的神態，問：「怎麼了？」

時訣問：「能推了嗎？」

崔浩：「說什麼呢？這麼好的事幹嘛要推？」

時訣輕描淡寫：「不想教。」

崔浩皺眉：「你是不是酒還沒醒？」

時訣：「沒，就是不想教。」

時訣很少這麼明確回絕工作，尤其還是錢這麼多的工作。崔浩一手叉著腰，一手伸至窗外又彈了彈菸，菸灰隨風飄落。

屋裡只開了三分之一的燈光，照著時訣的眉眼，疲倦之下，平日的隨和也懶得維持了，只剩絲絲冷淡。

崔浩不自覺地嘆了口氣，說：「實話跟你說吧，樂陽想要簽你，開了特別好的條件，我都推了，就是因為你不鬆口。我跟他們說你要考大學念書。但我也不能把話堵太死吧？萬一你哪天又有需要了呢？所以他們一說集訓的事我立刻就答應了。你跟我開店這麼多年，知道這行不好幹，多少冠軍賺得還沒有網紅多？你不管做臺前幕後，都要有管道吧，你是有本

事，但機會不等人啊。」

時訣低頭，久久看著地面，也不知有沒有聽進去。

崔浩說：「我知道你答應你媽肯定念大學，但是——」

「哎……」剛開了個頭，被時訣不耐煩打斷，「跟那沒關係。」

崔浩：「那什麼原因啊？嫌累啊？」

崔浩一臉困惑，菸都不抽了，直勾勾揪著脖子討結果。

崔浩地下 battle 舞者出身，性格裡自帶氣勢，很多人見了都怕。可瞭解深了，真就應了林妍那句話——有時候腦子確實不太靈。

一股勁上來，磨磨蹭蹭，沒完沒了。

時訣掐掐自己的鼻梁，崔浩接著勸他：「時間不長，你辛苦一下，賺了錢，下次就不用跟人共乘了。」

時訣突然笑出來了。

崔浩看他這樣子，感覺有戲，抓緊說：「那就這麼定了啊！大概六七個人左右，樂陽那邊時間趕，兩個小孩已經安排在飯店住下了，你準備一下，我們儘快開班。」

崔浩又說了幾句就走了。

半盒菸遺落在窗邊。

時訣起身走過去，摸了一根出來，靠在窗臺邊抽。

第六章 Silent Dancing

他的頭抵在窗戶邊框上，把臉稍微往外偏了偏，似乎想讓風吹拂的面積更大一些。夜晚的商業街，空氣肯定算不上乾淨，多少帶著點城市裡的腐敗氣味。但至少，聞起來比他現在清新點。

一根菸抽完，他關窗，關燈，鎖門離去。

第二天，時訣沒來上學，說是有事請假了。

往後的兩天，徐雲妮都沒有見到他。

第三天，主任衝進教室找他，未果，「還沒來啊？」

吳航問道：「主任，有什麼急事嗎？」

主任說：「月底有個奮進新征程主題匯演，學校準備錄個合唱，要跟他說一下，人呢？」

吳航說：「他請假了，他最近忙得要死，根本見不著人，你要是著急就打電話給他吧，不過也不可能接。」

主任說：「行吧！」

吳航毛遂自薦，笑著說：「主任，別總用他了，說不定長官們都看膩了，主任你看我行嗎？」

「你肯定行啊！你也要來！」主任對全班說道：「那個，大家靜一下啊，等等我來選人，我們老規矩啊，班裡一六五以上的女生和一七五以上的男生都準備一下！」

正是下課時間，徐雲妮在教室前方的飲水機裝熱水，她聽到主任的發言，握著水瓶轉過頭。

主任說完，匆忙離去。

徐雲妮就這麼扭著頭回了座，還是有點不確定，吳航看見，說：「不用想了，妳肯定要去。」

徐雲妮說：「我不會唱歌。」

吳航說：「無所謂，妳對嘴型就行，有會唱的帶著，後製都能調，主要是隊伍要好看。」他說著，大手一揮，「一水漂亮的大高個！我們校長就喜歡這種豔壓群芳的感覺。」

徐雲妮轉學過來有一陣子了，同學之間漸漸有來往，有這進展王泰林功不可沒，自從與他解除了誤會，並且多次約飯後，徐雲妮在華都的社交順暢多了。

「誰帶著？」她想起剛才主任急著找人的樣子，「班長嗎？」

「聲樂組的，我們學校會唱歌的有一堆呢，時訣還要再往前拉，鏡頭對著臉，他要演奏。」

「他還會演奏？」

「妳這話問的，他本身就是學音樂的啊，樂器很強的，光有弦的他就會四五種。」

第六章 Silent Dancing

其實徐雲妮有點好奇有弦的樂器都有什麼，最後忍住了沒出口，感覺一問下去要沒完沒了，就說：「我還以為他是學跳舞的。」

「不是啦，」吳航說：「他的專業是音樂，舞蹈是他自己喜歡。」

不管是音樂還是舞蹈，徐雲妮都一竅不通，在這方面她可能天生少根筋，小時候李恩穎想要培養她的藝術審美，時不時會帶她去薰陶薰陶，看看表演。後來有一次跨年音樂會上，徐雲妮在華麗的演出廳裡睡得昏天黑地，口水直流，李恩穎嫌丟臉，半路就把她帶走了。從劇場出來，李恩穎斷定徐雲妮這輩子與藝術無緣。

時訣短暫失聯了。

一直到週五放學，他都沒有任何消息，跟人間蒸發了一樣。

他之前跟徐雲妮定吃飯時間的時候，因為他中午要去幫吳月祁忙，晚上又經常被崔浩叫去代課，很不穩定，所以乾脆直接約了週末晚上吃飯。

週六下午，徐雲妮試著傳訊息給他，沒回，然後她打了個語音給他，沒接。

怎麼說？還吃嗎？

參考吳航的發言，徐雲妮坐在書桌前想了一下，起身換衣服。

樓下，保姆張阿姨正在準備做飯，今天李恩穎和趙博滿都有事不在家，趙明櫟正在客廳拆他剛訂回來的遊戲機。徐雲妮對張阿姨說：「阿姨，晚飯不用煮我的份，我等下出去吃，

已經跟我媽說過了。」

然後輕裝上陣，只帶了一支手機就出門了。

徐雲妮先來到常在麵館。

正是吃飯時間，不大的店面差不多坐滿了。徐雲妮直接走到最裡面的廚房門口，吳月祁餘光看到有人來了，低著頭接著幹活，說：「在座位上掃碼點餐就行。」

「阿姨。」徐雲妮說。

吳月祁一頓，抬起頭，愣了愣，「是妳。」

徐雲妮問：「時訣在嗎？」

「……吃飯？你們約了吃飯？」吳月祁越聽越茫然，她與徐雲妮對視片刻，忽然回神，洗了手，去旁邊拿手機，「妳等一下，我來打個電話。」她撥通號碼，也是半天沒人接聽，「哎這孩子，怎麼不接電話呢……」

「阿姨妳別急，」徐雲妮說：「我知道舞社在哪，我去一趟好了。」

吳月祁抱歉地說：「他一忙起來就這樣，誰也不理，我想應該是忘了，真不好意思。」

徐雲妮：「不要緊，您先忙。」

第六章 Silent Dancing

徐雲妮離開麵館，搭車去了SD。

SD在本市商業區，道路繁華擁堵，最後一公里車塞得跟要爆炸的香腸一樣，徐雲妮提前下車，順著導航找路。

她在找到SD之前，遇到點小小的意外。

她本想繞個近路，轉進小巷，但這一片住宅區建得早，照地圖的大概方向，在小巷間穿來穿去。道路兩邊堆滿了雜物，也沒有路燈，昏暗異常。徐雲妮走著走著，手機震動，她拿起一看，是時訊回了訊息。

『剛才沒看手機，我忘了今天週六了，我在上課。』

夠忙的。

他很快又傳來，『我大概還有四十分鐘結束，或者改明天？』

徐雲妮回覆他：『你先上課，結束再說吧。』

傳訊息期間，旁邊有人在說話。

「……到底來不來啊？」

「我問了，說馬上，那人上課中間通常會來這邊抽根菸，再等等。」

「等半天了。」

小巷兩邊有幾道門，是臨街店鋪的後門，三個年輕人在那邊抽菸邊說話。徐雲妮以為他們是店裡出來休息的店員，也沒在意。

她想起剛剛路過的便利商店，準備去那小坐一下。

這時，一個人忽然說：「來了！往旁邊站，手腳俐落點。」

徐雲妮已經回身往外走了，聽見後面有人跑了幾步，似有拉扯聲。

她回頭看了一眼。

巷口是逆光，有些距離，徐雲妮遠遠瞧見那三個人朝著巷口的一個人衝了過去。

徐雲妮眉頭一皺，立刻拿出手機，一邊往那邊趕，一邊把畫面錄下來。雖然光線暗，但架不住手機品質不錯，透過鏡頭放大加補光，畫面拍得還算清楚。

結果這麼一放大，她忽然看到其中一個人的身影。

她腳下一停，不敢相信一樣把畫面再拉大點。

短短一秒的停頓後，她直接衝過去，口中喊道：「哎！你們幹什麼呢！」

那三個人眨眼之間已經放倒了一個，被推開了一個，還有一個正在糾纏，這三位出師不利已經有點慌了，又意識到自己被目擊者發現了，掙扎著起來就要往巷外跑。

「站住！」徐雲妮加速追凶，在她快衝到巷子口的瞬間，忽然被人抓住了手腕。

這一個急刹可不得了，徐雲妮肩膀一震，以手腕為圓心，臂長為半徑，大繞九十度——

她眼瞧著要跟烀餅一樣直接拍牆上了，那人向外用力，往回一收，另一隻手扣在她手臂上，扶得很牢靠。

「慢點啊。」他說著話,聲音環繞在上方。

徐雲妮費力站好,轉頭再看,那三個人已經跑遠了。

她邊想追,但是動彈不得,才發現自己還被人拽著,掌力焊得跟鉗子似的。

「人都跑了!」她說。

「跑就跑唄,妳別激動。」

看她穩定下來,時訣鬆開手。

徐雲妮:「怎麼回事?」她質問道:「出什麼事了?他們是誰?他們為什麼要打你?」

時訣沒有忘記來這的最初目的,掏出一根菸放到嘴裡,點火。

他透著薄薄的煙雲打量著她。

徐雲妮嗅到菸草的味道,麻痹了神經一樣,一瞬間幾乎讓她忘記了這裡剛剛經歷了一場暴力事件。

夜風輕悠吹拂著。

時訣往巷子裡看看,還是不太理解。

「妳從哪來的?妳怎麼總喜歡從稀奇古怪的地方冒出來呢?」

徐雲妮解釋說:「我從裡面過來的,外面塞車,我就下來走了。哦對了,你等等,」她用手機傳影片,「我拍下來了,傳給你了,你看一下。」

時訣手機震動,拿起來看。

徐雲妮傳來的影片不長，只有五六秒，他看了好幾遍。

徐雲妮說：「我可以當證人，我們現在去報警。」

他沒回答，反覆觀看影片。

徐雲妮又問：「你受傷了嗎？他們打到你了嗎？」

「沒注意，」他淡淡道：「妳檢查一下？」

還能開玩笑，看來是沒大事。

現在漸漸冷靜下來了，徐雲妮回憶起剛才在巷子裡聽到的話，說：「我從裡面過來的時候就看見他們了，他們是特地在那蹲你的，是有預謀的，說在等消息。」徐雲妮仔細分析著，「有人知道你要出來抽菸，還知道時間和位置，會不會這人就在店——」

「刪了。」她沒說完，時訣就打斷了她。

「妳錄的影片，刪了。」

「刪了？」徐雲妮沒反應過來，「為什麼刪了？」

「把我拍得太醜了。」

「不是……」徐雲妮想詞想半天，皺著眉頭，憋出一聲，「什麼？」

人生就是偶爾會出現一些神奇的時刻，讓你的思考從地球上抽離出去。

她陷入了短暫的自我懷疑，是她腦漿還沒搖均勻？

他仍靠在那，安靜抽菸。

破損的磚塊，發霉的牆角，都保留著舊時的痕跡。

徐雲妮後知後覺發現，這人跟上一次見面相比，明顯瘦了，嗓音有些沙啞，流露著疲憊的氣息。他背靠著暗色的磚塊，裸露的皮膚像傾瀉的水銀，對比更加強烈了。

徐雲妮：「這是證據，跟美醜沒關係吧？」

時訣眼睛翻到一旁，一副跟她溝通不了的樣子。

徐雲妮無奈，拿出手機檢查影片，並試圖代入班長的邏輯。

可能美人就是跟普通人不一樣，真的有包袱呢。

在她看著手機的時候，時訣的視線又移了回來，看著徐雲妮的眉峰向內靠攏了嚴肅的角度，嘴唇抿成一道細細的線，嘴角稍微下沉，不自覺地壓出兩道淺淺唇窩。

最後，她抬頭，鄭重提議說：「這樣，我找人把你的臉馬賽克一下，你看行嗎？」

時訣叨著菸，「噗」的一聲笑出來，他不小心被煙嗆到，咳了幾聲，饒是如此，還是沒止住笑意，短促的聲音連成一串，彎彎的笑眼在煙霧和細碎的聲音間，偶爾與她對視上。

像在拍電影似的。

那她呢？徐雲妮進一步地想著，她是什麼人呢？應該不是劇組人員吧，因為她完全不知

徐雲妮看著眼前的畫面，心想，這取景，這造型，這當之無愧的男主角。

道臺詞和接下來的劇情走向撲朔迷離。

時訣笑夠了，再次對她說：「刪了吧。」

聽著他平淡的語氣，電光火石間，徐雲妮想到了另外一種可能性，問道：「你是不想追究嗎？」

他揣著明白裝糊塗，反問道：「追究什麼？」

為什麼呢？徐雲妮心想，平時在學校裡尾巴恨不得翹到天上去，怎麼看都不像是會忍氣吞聲的人。

那就是不想追究了。

徐雲妮不太理解，但他態度堅決，她最終還是把原影片刪掉了。

時訣的菸已經抽完一半，問她：「妳怎麼找來這了？」

徐雲妮說：「不是說週末吃飯嗎？我聯絡不上你，去你家的店找你，你媽說你在這邊，我就過來了。」

時訣點點頭。

節奏好像又緩了下來。

時訣悠閒地打量著她。

徐雲妮穿著一件普通的T恤，外搭一整套深色的運動服，腳下是旅遊鞋，她外套半拉

第六章 Silent Dancing

開，袖子也擼上去些，服飾是沒什麼看頭的，就像是晚上吃完飯準備去花園散步的住戶。

不過……

脫下臃腫的校服後，薄薄的骨骼，細長的手臂，因為常年右側發力而形成的輕微的高低肩……許多細節都露了出來。

一縷煙從他鼻腔中輕輕噴出。

他視線再往下落，看著她的手。

「沒事吧？」他示意道。

徐雲妮抬起手臂，才發現剛剛被他抓住的地方留下淡淡的紅印。「沒事。」她說著，腦海中回憶起剛剛被抓住的瞬間，身體差點就抑斷了。

她瞄了瞄他的手臂、手腕、和修長的指節。

「怎麼了？」時訣問。

「沒怎麼，班長，你力氣夠大的。」

「不然呢？」時訣有點好笑似的，「這也值得驚訝嗎？」

「因為你看起來還挺瘦的。」

「我瘦？」他頓了頓，把菸含在口中，右手從T恤下方伸入，手掌順著身體一直緩慢摸到胸口，自己低頭看看矯勁緊致的身體，「有嗎？」

沒有，說了只是「看起來」。

太自然了。

徐雲妮明知道這人是故意的，但還是太自然了。

自然到讓人覺得說點上綱上線的話，都像在掃興一樣。

所以徐雲妮沒開口，僅僅是看著眼前的畫面。

他的聲音、形象，都融在這亂糟糟的小巷裡。

也刻印在那個並不存在的影帶中。

晚風輕輕吹著。

一個念頭輕輕飄過腦海⋯⋯

世上怎麼會有這樣的人？

時訣最後抽了兩口菸，在身後牆壁上隨手一撚，說：「我要上課了，妳來店裡等吧，」

又囑咐她，「剛才的事不要說。」

徐雲妮：「說了會怎樣？」

「嘖，」他瞥來一眼，「聽話。」

時訣帶著她進了SD。

門口前檯裡，魏芊雯和崔浩正在激烈爭論著什麼，有人進來，他們統一噤聲，視線轉來，然後就沒再轉回去。

他們看著時訣領著一個女生進店，然後對她說了句⋯⋯「來這邊。」帶她穿過走廊，去往

休息區。

他們的眼珠從右往左，配合著脖子，一直轉到轉不動了為止。

崔浩問魏芊雯：「誰啊？妳認識嗎？是我們這的會員？」

魏芊雯：「不是吧，沒見過啊，是不是時訣拉來的會員？」

說話期間，時訣又回來了，他進了前檯，打開售水機的門。

魏芊雯問：「那是誰啊？」

時訣：「同學。」他拿了瓶礦泉水，關上門，沒有擰開，看樣子是想送去。

魏芊雯：「又是追你追到這來的？」

時訣：「不是，普通同學。」他要往外走，崔浩攔住他，忽然問了句：「搭車那個？」

時訣笑了笑。

崔浩把水拿過來，說：「你已經有點晚了，快去上課吧，一堆人等著呢。水給我，我幫你送。」

時訣把水給他，隨手抓了頂帽子扣頭上，直接往大教室去了。

崔浩拿著礦泉水來到休息區，看見那個女生坐在沙發上，正在觀察店鋪裝潢，旁邊崔瑤在收拾桌子，擦到她附近，她還站起來想幫忙。

不知為何，從時訣帶她進門，崔浩看見她的第一眼，就覺得她是那晚接電話的人。

徐雲妮的面前多了一瓶水，她轉頭，一個三十來歲的男人站在身旁，濃眉、單眼皮，眉

心紋略深，單看面相有點凶。

他對她說：「時訣給妳的。」

崔瑤轉頭看了一眼。

徐雲妮拿過水，說：「謝謝。」

沒錯，這聲音，崔浩還記得。

「我對妳有印象，」崔浩坐到旁邊的沙發上，跟徐雲妮聊了起來，「是不是有一天晚上，妳替時訣接了電話？」

「對，」徐雲妮也想起來了，「你是『崔哥』？」

崔浩微微一詫：「對，我叫崔浩，是他哥。」他瞧見崔瑤直愣愣看著這邊，又介紹說：「這是他妹，瑤瑤。」

徐雲妮朝崔瑤點點頭，然後自我介紹：「我叫徐雲妮，是時訣同學。」

「我知道，」崔浩說：「那天謝謝妳幫忙了，把他送過來，要不然他喝多了我還有點擔心呢。」

崔瑤聽見，小聲問：「……他什麼時候喝多了？」

崔浩：「沒妳的事，小孩別打聽。」

崔瑤嘟著嘴巴，不太高興的樣子。

徐雲妮看看這二人，問道：「你們三個是親兄妹嗎？」

第六章 Silent Dancing

崔浩摸摸臉：「妳看我跟時訣長得像嗎？」

徐雲妮沉默兩秒，說：「挺像的。」

崔浩一拍腿，哈哈大笑。

這時候，外面結伴來了幾名學員，聽見崔浩笑，問道：「崔老師，什麼事啊高興成這樣？」

崔浩回頭對他們說：「終於有人發現我跟時訣長得差不多了。」

學員們不同意：「還是差得有點多吧？時訣哪有崔老師帥啊！」

崔瑤老實，忍不住說：「人家逗你你也信……」她又試著問徐雲妮，「時訣什麼時候喝多了？」

徐雲妮說：「好幾天以前了。」

崔瑤看向崔浩，那眼神帶著不滿：「你帶他去的？他不是要考試了嘛，幹嘛還出去玩……」

崔浩往外指了指：「沒妳的事啊，別在這乾站著，進去收拾一下，馬上上課了。」

崔瑤不情不願離去，崔浩一回頭，就跟徐雲妮對視上了。

非常平和的視線，卻看得崔浩莫名一愣，不自覺地解釋說：「那天情況特殊，是正事，平時肯定不會那麼喝的。主要他喝完酒還給合作方跳了舞，不然不會那麼難受的。」崔浩嘆了口氣，往沙發一靠，「現在想爭取個活動機會不容易，拉臉擺架子的……」

一些學員去了更衣室換衣服，裡面有點擠，剩下幾個人在外面一邊聊天一邊等空位。

徐雲妮身旁站著一個背著大運動包的女生，徐雲妮稍微往裡面讓開位置，說：「妳把包放這吧。」

女生連忙說：「沒事，我背著就行。」

崔浩揚揚頭，問：「妳這什麼啊，跟炸藥包似的。」

女生說：「我剛才去打球了。」

崔浩：「那妳還有力氣跳舞嗎？」

「有啊！」女生說著，還是把包放到沙發上，活動一下肩膀，「我生龍活虎！」

崔浩說：「我看是 Delia 對你們要求太鬆了！」

「說我什麼呢？」

徐雲妮轉頭，見一個明豔的美人從更衣室出來。其實這店裡的人看起來狀態都不錯，經常運動的人身材普遍好，很有自信，氣血充足，一個個精神煥發。

Delia 對著崔浩說：「崔老闆，請你打開評論軟體看看，就這麼說你好評第一的老師是吧？」

崔浩嘿嘿笑了幾聲，又轉來問徐雲妮：「哎，妳好不好奇時訣排第幾？」

徐雲妮想想，說：「應該不高吧。」

崔浩：「為什麼？」

第六章　Silent Dancing

徐雲妮說：「他的學員應該沒有到手機打評價的年紀。」

崔浩笑道：「妳知道他教小孩啊，他沒那麼多時間上課，而且帶小孩能磨磨性子。」

徐雲妮問：「他性子不好嗎？」

「唔，也不是不好，就是有時候很欠打。」

徐雲妮不言語。

「而且……」崔浩哂哂嘴，接著說：「這小子偶爾那脾氣上來，特別拗，別看表面好說話，其實特別固執。」

徐雲妮說：「我剛轉學過來沒多久，還不怎麼瞭解，他是我們班班長，他在學校口碑特別好，老師同學都喜歡他。」

他們聊了一陣子。

崔浩對徐雲妮印象相當不錯，他覺得這女生長得不算特別漂亮，但氣質好好，給人感覺很舒服。她不像很多年輕學生那樣，對陌生環境感到拘謹，她很大方，說話和傾聽時，都會認真地直視著對方。

她沒什麼打扮，從頭到腳非常樸素，但崔浩閱人無數，知道她的家庭條件和成長環境肯定很不錯，她身上有著相伴而來的磊落和端正。

崔浩起身回去前檯，魏芊雯瞧見他，說：「你送個水送半天？」

「挺有意思的，」崔浩嘀咕著，打開售水機的門，在最下面翻找，「哎，我之前放這的

水果呢？妳偷吃了？」

魏芊雯：「沒啊，在裡面吧。」

崔浩撥開外面的飲料，終於看到了，他拿出一盒包裝精緻的陽光玫瑰葡萄。魏芊雯瞧見，瞬間不樂意了，說：「哎，你可真行欸，我要吃你捨不得，現在拿給外人吃是吧？不像是時訣喜歡的類型啊，你別討好錯人眼瞧著包裝盒都被拆了，魏芊雯抻著脖子逗他，「了。」

「喲，妳知道他喜歡什麼類型的？」

「聽話的純欲女文青嘛，」魏芊雯挑起一側眉毛，不鹹不淡地說：「你哥倆口味很接近的，你不知道嗎？」

崔浩無語地回頭看她一眼。

崔浩乾巴巴道：「普通同學怎麼？普通同學就不能吃葡萄了？我就想給普通同學吃！」

魏芊雯指指他手裡的葡萄：「進口的，一盒兩百多呢，不是說普通同學嗎？」

魏芊雯：「呿。」

崔浩將葡萄拿去洗乾淨，裝盤端到休息區。

Delia 的課已經開始了，學員都進教室了，休息區只剩下徐雲妮。

崔浩把葡萄放到桌上：「來，同學，吃點水果。」

「謝謝。」徐雲妮還真有點餓了，摘了一顆放嘴裡，涼絲絲的，又甜又香。

也不知道是不是被魏芊雯的話洗腦了，崔浩自打從前檯回來，再看徐雲妮，腦子裡不斷浮現「聽話的純欲女文青」這個標籤。

聽話嗎？不知道。

純欲？看起來真不太像。

女？這個肯定的。

⋯⋯文青？她喜歡文藝嗎？

崔浩腦子胡亂想著。

徐雲妮吃著葡萄，注意到崔浩直勾勾的視線，她看過去，崔浩說：「妳⋯⋯」

徐雲妮：「嗯？」

崔浩撇撇下巴：「要不要去看看時訣上課？」

第七章 舞

他們來到大教室後門。

崔浩將門拉開了點。

隔著門都能聽到音樂聲，門一開，音浪滾滾撲面而來。

正巧有人喊了幾聲口號，一聲比一聲清楚，帶著所有人的動作節奏一起提了起來。徐雲妮花費了兩三秒，才判斷出那是時訣的聲音。跟平日裡那種輕描淡寫的腔調很不同，他此刻的聲音響亮而強烈，甚至有些嚴厲，伴隨著清晰深沉的鼓點，敲在人的心上，咚咚不停。

教室打著暖色的光，不是很亮，大概有七八個人左右。

崔浩問她：「認出他了嗎？」

徐雲妮說：「最前面戴帽子的。」

看了一下，崔浩又問她：「感覺怎麼樣？」

徐雲妮說：「有點奇怪……」

崔浩說：「他帶的這個是系統集訓班，現在在做元素疊加，就是一種……」崔浩手腕轉了轉，跟她解釋，「嗯，身體的開發訓練，不是成品舞，不太瞭解的人直接這麼看，可能會

有點奇怪。」

崔浩誤解了，徐雲妮所說的奇怪，並不是覺得他上課的內容奇怪，而是這人突然之間，跟固有印象不同了。

就像一個原本只能看的精緻手辦，突然動起來了。

知道他會跳舞，和親眼看見，完全是兩碼事。

這些都是重複性的基本功練習，在明快熱情的音樂中，動作變換極快。時訣在最前面帶隊，沒有多餘的話，只是每一次變奏的時候，他會快速拍拍手，喊一次口號，然後轉到下一組動作。動作的難度越來越高，很多學員的腳步慢慢沉重起來，而他的身體卻像不著力一樣，把鬆弛與控制，輕柔與速度，都容納到同一方寸間。

有標準與體態的加持，不管是複雜還是簡單的動作，都有著濃烈的感染力。

「感興趣嗎？」崔浩帶人看課都是有方向的，魏芊雯教的，男生就領去看 Delia，女生就來看時訣，特別容易推銷會員卡，「辦卡嗎美女？正好現在有優惠，妳是時訣同學，我幫妳打八折，內部價，別往外說。」

徐雲妮說：「你看我行嗎？」

崔浩說：「肯定行啊，舞蹈是最自由的，只要喜歡誰都能跳，而且妳長手長腳的，一看就適合跳舞！」

他應該是真心熱愛這個行業，徐雲妮心想，本來凶神惡煞的，講起舞蹈來眉飛色舞，像

「學完能拉著手從肩膀後面繞過去嗎？」

「……啊？」

「沒什麼，」徐雲妮又問，「時訣學了多久？」

「他？」崔浩回憶著，「學舞蹈嗎？他是從小就耳濡目染了，他爸爸是跳現代舞的。街舞這邊他大概是七八歲左右開始接觸的吧，什麼都能跳，比較擅長Hiphop，那種大框架的。不過他不太受限於各種風格，他的舞蹈就是為了解析音樂服務的。」他看著教室裡的人，又說：「他其實不太喜歡這種純粹追求技術和力量的訓練方法。」

徐雲妮：「那為什麼還這麼上課？」

崔浩：「賺錢啊，人家甲方提的，就要這麼夯實基礎，時訣的風格就是誰出錢多誰說了算，哈。」

這時，時訣帶著大家做了一個轉身的動作，徐雲妮餘光一閃，注意力被吸引了。她居然這麼晚才發現這兩人。

若依和阿京也在。

有些事，在徐雲妮腦子裡漸漸關聯起來。

徐雲妮短暫思索後，問崔浩說：「崔老闆，你們為什麼要開這個集訓班呢？」

崔浩回答說：「合作的公司想送人來特訓，我就聯絡了幾個一直說想進階基本功的，湊

了個班。這種班平日開不起來，太累了，根本沒人來。」想到什麼，他又說：「時訣剛開始還不想幹呢，但是沒辦法，還好最後被錢打動了，這小子有時候任性得很。」

他們在教室後門看了一下，崔老闆忽然發現了授課方面的瑕疵。

「我等等要跟他說說，就是集訓班不能真跟機器似的這麼跳啊，臉上都沒笑容，人家是花錢來的。」崔浩納悶了，「他怎麼回事呢？上這課就拉個臭臉……」

徐雲妮：「沒休息好吧。」

崔浩想了想，說：「有可能，最近是挺累的。這人臉上一沒表情，看了都害怕。」

從他們的角度看不到正臉，人群中只有背影，前方的鏡子裡偶爾露出點身影，看不真切，但僅僅是這樣，也足夠印證崔浩的話。

時訣戴了頂黑色漁夫帽，眉眼遮住大半，只剩下輪廓清晰的下半張臉。他一身黑色衣服，露出的皮膚又白得驚人，這種強烈的對比，加持著頗有力度的舞蹈，有一種明顯有別於他人的氣質在。

鞋子踩在地板上的聲音特別清脆，偶爾摩擦出的尖銳聲十分提神。

徐雲妮默默不作聲看著。

阿京一身奢侈名牌，還戴著項鍊和戒指，打扮得非常精緻。其他人算是這個班裡實力比較強的，大部分的人跳到最後體能都跟不上了，他雖然動作有點變形，但還能勉強跟住。

崔浩有些遺憾地說：「哎，可惜了，時訣這是帶訓，不是百分之百的狀態，妳該等他上編

舞或者成品舞的時候來，現在還不夠帥。」

「這還不夠？」在徐雲妮的概念裡，這已經是隔著螢幕才能出現的畫面了，她看著崔浩，笑道：「崔老闆，你們的世界也太華麗了。」

崔浩看著她的面容，腦子裡忽然怔了那麼一瞬，他轉向教室裡跳舞的人群，沒多久又轉了回來，來了一句：「其實時訣沒有看起來那麼花裡胡俏的。」

徐雲妮「嗯」了一聲。

崔浩：「我知道你們學校裡不少人都說他冷淡，有距離感，是吧。」

「有嗎？」徐雲妮說：「我沒那麼覺得。」她看看屋裡上課的阿京，輕聲說：「他只是想的事比較多吧。」

這時，魏芊雯過來叫崔浩，好像有什麼事，他就先離開了。

徐雲妮還在原地看著。

又過了一下，要下課了。

時訣說：「哎，別馬上躺下啊，稍微動動。」

時訣一停下，幾乎所有人都在一瞬間倒在地上。

阿京倒是還站著，隨著音樂做拉伸，他似乎跟轉身過來的時訣對視了一眼。

時訣走了過來。

學員們象徵性地在地上翻了個身。

第七章 舞

距離一兩公尺，徐雲妮才看清他那黑色的短袖衣服幾乎濕透了，完全貼在身上。他停下腳步，摘下帽子，抓了下半濕的頭髮，身體因為喘息微微起伏。

他對她說：「我去沖一下，五分鐘，妳去沙發那邊等吧。」

徐雲妮「嗯」了一聲，時訣離開，她還是沒動。

她後退半步，看著屋裡那幾個緩過來的學員，包括若依在內，已經走了一半的人了，剩下幾個圍著阿京說話。

一個女生說：「阿京，你體能真好。」

阿京：「這種強度不算什麼，我在公司練得比這狠多了。」

時訣走時並沒有關閉音響，裡面隨機播放了一首酒吧風格舞曲，阿京又跳了一段。

「你還會House？」女生驚訝地說。

「以前玩過。」

「好厲害，你還會別的嗎？」

「各種表演風格都練過點。」

「哇！那你最擅長什麼風格？」

阿京逗她玩一樣，說：「性感，來，看看能不能勾引到妳。」說著，他隨著音樂起舞，表情玩味，一手扒著大腿根部朝著女生律動身體。

「哎呀⋯⋯」女生偏過頭，「你幹什麼啊。」她一轉頭，看到門口，「哎，時訣，阿京在

徐雲妮側目，時訣從前門進了教室，去拿剛剛遺忘的毛巾。

阿京一路盯著，視線不甚友善。

女生說：「阿京在展示性感！」

時訣：「剛才那個！」

女生：「你感覺怎麼樣？」

時訣問阿京：「你這麼喜歡這個動作，平時熱身沒一次不做的。」

阿京說：「這是我的個人風格。」

時訣「嗯」了一聲，毛巾搭在肩頭，走向門口，他中途回身往某個方位指了一下，說：「真難受就去檢查一下，別耽誤了。」

屋裡幾個人都被逗笑了，阿京陰沉著臉不說話。

時訣去了淋浴室。

女生對阿京說：「你別生氣，時訣就那個樣子，他沒什麼惡意的。」

阿京似乎對她這發言非常不滿意，神色冷漠。

女生也看出來了，換了個話題問阿京：「那個……你是怎麼進樂陽的？」

阿京：「我去公司轉了一圈就要我了。」

女生說：「你真厲害，你們什麼時候招人啊？我也想試試，都不知道該怎麼弄。」

跳舞，你也來啊。」

第七章 舞

阿京冷笑道：「別的先放放，妳去面試的時候記得先把這身一眼假的名牌換了。」

女生的臉一下子紅了。

阿京似乎不想再跟她聊下去，翻了白眼，拿著手機起身離開。

幾個學員在教室裡嘀咕。

「……裝上天了，不知道的以為什麼大明星呢。」

「他跟 jazz 班的老師倒是一口一個姐姐。」

「人家 Delia 開名車來上課的，他天天磨人家借車開，你看 Delia 理他嗎？」

阿京往外走，徐雲妮跟在他後面，看著他出了門。

徐雲妮停在前檯的位置，沒有再跟過去，她水喝多了去了趟洗手間，出來的時候看見時訣在前檯，仰頭灌了一瓶運動飲料，然後出門。

徐雲妮跟過去，推開門，看見阿京正在路邊打電話，他注意到時訣，馬上掛斷了。

同時又有幾個小學員搭伴過來，最多也就六七歲，見了時訣，嘰嘰喳喳圍過來叫老師，時訣的大手在幾個小腦袋上按一下。

阿京要回店裡，行動路徑被時訣有意無意擋住了。

幾個小孩和家長跟他打完招呼，進了店，阿京也要跟著進去，被時訣扯著袖子拽到面前。

阿京甩開他：「你幹什麼？」

時訣：「老老實實上完課，走人，少惹事。」

阿京不滿，冷冷道：「你什麼態度？這可是你們店長求我們公司要合作的，你就這服務品質？」

時訣打量著他，忽然笑了。

「說起合作，」他摸摸下頷，「你老闆把你的資料傳過來了，我看你……念到國一？」

阿京的臉瞬間沉了下來。

「怪不得呢，」時訣釋然道：「我就說這些事不像是長腦子的人能幹出來的。」

阿京氣得鼻孔都放大了，罵道：「不知道你在說什麼！滾開！」然後一把推開他，進了店裡。

時訣揉了揉脖子，看到站在斜後方的徐雲妮。

他說：「我還以為妳已經出來了。」

徐雲妮：「我剛剛去廁所了。」

時訣點點頭，拿出手機，問：「久等了吧，想吃什麼？」

「我請你，你想吃什麼？」徐雲妮站到時訣身旁，看他搜尋餐廳，手機的光線映在他的臉上，皮膚又白又薄，看起來涼絲絲的。

他剛洗完澡就出來了，換了一身淺灰色的連帽運動服，髮梢都沒擦乾。

時入深秋，晚上溫度已經很低了。

第七章 舞

「就附近找一家吧，」徐雲妮指著巷口街對面的商場，不等時訣回話就邁開了步伐，「去那邊。」

他們走到路口，等紅燈。

四周亂糟糟的，夜晚的商業街熱鬧非常。

徐雲妮盯著前方的車流，突然說了句：「是他幹的吧？」

時訣看過來，徐雲妮說：「剛才那個男生，是叫阿京嗎？他上次在那家餐廳裡對你放過狠話，我後來在車上提醒你注意，你還記得嗎？」

時訣看著那雙認真詢問的眼睛，眉眼驀然一彎。

徐雲妮的思緒就有一點點跑偏。

好像他每次笑的時候，眼睛都很亮，尤其近看，尤其在夜裡。

即使他現在已經肉眼可見的十分疲憊了。

時訣稍微往她這邊偏了偏，眼神示意她靠過來，徐雲妮以為他有什麼重要的事要說，湊過去。

時訣在她耳邊輕聲道——

「我們吃火鍋吧。」

就知道。

紅綠燈變色了，這次他先一步朝對面走去。

看著時訣手插著口袋，溜溜達達往對面走的背影，徐雲妮心想，他這樣的態度……大概是有什麼理由，因為某些原因，讓他不好較真一些事。

他哥？

——「現在想爭取個活動機會不容易。」

是有合作？不能撕破臉？

徐雲妮一邊想著，走到他身旁，問道：「吃涮肉還是麻辣鍋？」

時訣：「辣的唄。」

踏入商場，熱氣撲面而來，溫度驟升。

現在是週六晚上，這裡又處於市內數一數二的熱鬧商圈，是主要人流聚集地。放眼望去，商場裡吃飯的、逛街的、溜孩子的，到處都是人。

徐雲妮仰頭往上望，說：「先往樓上走吧。」

兩人上了電梯，轉來轉去，來到四樓餐飲區。

這層人更多了，加上餐廳也多，熱氣騰騰，徐雲妮後背出了汗，感覺渾身毛孔都舒張開了。她拎拎衣領，看了手機一眼，雖然今天比較折騰，但她出門早，現在才七點多，正好是吃飯的尖峰期。

走了半圈，找到一家火鍋店，牛油毛肚火鍋，主打食材新鮮。

他們拿了號碼牌，在門口坐著等。

第七章 舞

期間徐雲妮口渴，去買水，留時訣占座位。

檸檬茶店排隊人多，她稍微等了一下。等她回來的時候，時訣窩在靠椅上，抱著手臂，正閉著眼睛休息。

她能感覺到他非常累。

火鍋店門口人更多，椅子離得近，徐雲妮收著腿坐著，喝著檸檬茶，無意識地看著前方發呆。

看著看著，視線又落到他的側臉。

她注意到一件事——他好像打了耳洞，還不只一對，幾個？

周圍有些吵，等位的人很多，有人在打遊戲，有人外放影片，還有小孩子說話玩鬧，加上商場的背景音樂，和熱騰騰的溫度，徐雲妮感覺整個人暈暈的……

她抬手碰了下脖頸出的薄汗。

「妳跟王泰林他們吃飯也這麼安靜嗎？」

徐雲妮手一頓，注意力重新集中。

他睜開了眼，靜靜看著她。

「……我還以為你睡著了，就沒說話。」她解釋道。

時訣的眼睛裡帶著血絲，比剛才在外面看起來明顯了點。

他抱著手臂，懷裡的手機一沒留意，從旁滑落。徐雲妮想幫他接，沒接住，啪唧一下扣

手機離徐雲妮比較近，她直接撿起來，還好螢幕沒碎。

結果這麼一翻，她看見了解鎖背景。

一張圖片，像是在臥室，有人坐在一張矮床墊上，對著對面窗戶照的。照片很日常，房間裡有鏡子、鋼琴、吉他、桌椅電腦，還有散落的筆記和隨意放置的衣服。午後的光從窗外打來，一縷一縷的，非常平靜。

從時訣動態照片風格判斷，徐雲妮覺得這張應該是他自己拍的。

徐雲妮把手機還給時訣，他接過，斜眼道：「妳怎麼喜歡偷看別人的東西呢？」

時訣不言，對她的手機揚揚下巴，徐雲妮心說有時候跟小朋友似的，還要有來有往又不講理了。

徐雲妮說：「拿起來它自己就顯示了。」

時訣說：「妳是圖省事，還是喜歡這種陰間風格？」

「怎麼陰間了？」徐雲妮轉過來自己看看，「是沒你技術好，但拍得也還行吧。」

「純黑圖片還要拍？」

「……純黑？」

徐雲妮比較近，她直接撿起來，還好螢幕沒碎

在地上。

第七章 舞

徐雲妮頓了頓，看看手機，再看看時訣，再看看手機，再看看時訣。

時訣：「犯病了？」

徐雲妮：「班長，你是不是有散光啊？」

時訣歪著頭，面無表情。

徐雲妮把手機遞過去，說：「你仔細看看，這是純黑的嗎？」

時訣沒接，直接在自己手機上打開了她的動態，點開背景圖片，就這麼看了一下，突然發現這圖片右邊有個地方，有顆沙子一樣的白色顆粒。

這是⋯⋯星星？

⋯⋯原來拍的是夜空嗎？

徐雲妮看著他的嘴唇不自覺抿起來，覺得有趣，又問一遍：「班長，是純黑的嗎？」

時訣說：「妳這什麼年代的手機？」

徐雲妮說：「我國中時用的，也沒過去幾年。」這是徐志坤去世的那一晚，她從醫院樓梯間向外拍的。她看著時訣手機上的圖，「像素還行啊，這是當時最新的款式呢。」

她只是下意識偏過身子往那看，等真的靠近了，聞到那股香，才有那麼點額外思緒，為什麼一個男生身上，永遠有這樣的香氣呢。

徐雲妮的目光從螢幕轉向他的眼，他垂眸瞧著她，弧線流暢的上眼瞼蓋住一半眼眸，視線不太分明。

徐雲妮問：「你把我備註的是什麼啊？」

他說：「妳不是看到了？」

這個距離，他的睫毛，肌膚的紋理，臉上的小痣，都一清二楚。

徐雲妮再次重申：「我不是『變態跟蹤狂』，我不是跟你解釋了，那天跟著你出去只是想看看你需不需要幫忙。」

他瞧著她的眼睛，一聲輕描淡寫的「OK」，點了點頭，開始改寫新名字出現了，更加啼笑皆非。

徐雲妮：「我也不是『活雷鋒』……班長，你還挺幽默的。」

時訣：「這也不行？」

徐雲妮：「活雷鋒和變態之間就沒有別的選項了？」

時訣想了想，重新打字。

徐雲妮低頭看著。

我。

有。

有點奇怪的開頭⋯⋯

六。

個。

第七章 舞

徐雲妮眉頭微蹙,還是沒有反應過來。

他打完了。

徐雲妮也看完了。

她緩緩坐直身體。

時訣歪著頭,認真詢問:「這個行嗎?」語氣相當誠懇,好像真的在徵詢她的意見似的。

手裡的檸檬茶,杯壁邊緣流下水珠,留下一道水線。

徐雲妮真心覺得,時班長說話做事很有自己的風格,或者說節奏感?

不太按常理出牌。

很容易搞得人⋯⋯

徐雲妮真心發問:「班長,你是有天眼嗎?閉著眼睛都能看見?」

「嗯,」他的聲音又平又短促,伴隨著眼睛一閉一睜,有點得意似的,「我這一邊只看見兩個。」

徐雲妮靜了片刻,點頭道:「厲害。」她再次看向他的耳朵,「厲害吧?」

時訣說:「耳垂兩個,耳骨一個。」他撥弄一下耳朵,果然上面還有一個。

徐雲妮:「你往軟骨裡打釘子?不疼嗎?」

「特別疼,」他笑著說:「但我可以忍。」

徐雲妮剛要說什麼,肚子突然咕嚕嚕叫起來。

呃……

時訣問:「妳餓了?」

徐雲妮說:「肯定餓啊,你不餓嗎?」

時訣其實還好。

徐雲妮看看時間,說:「我中午十一點吃飯,到現在已經過去八個多小時了。」

「什麼都沒吃?」

「吃了,你哥給我了一串葡萄。」

「哈。」

時訣轉頭看看火鍋店,店裡店外都人滿為患,他點開排隊APP,前面還有四十七桌。

他收起手機,站起來,說:「走吧,換家人少的。」

徐雲妮抬頭道:「我剛剛查過了,這商場只有這一家麻辣火鍋。」

時訣無謂道:「那就不吃火鍋了唄。」

徐雲妮也站起來,「那你想吃什麼?」

「看看再說。」

第七章 舞

他們往電梯走，徐雲妮本想去五樓看看，被時訣拉住，說：「樓上人也多，下去吧。」

徐雲妮跟在時訣身後，手扶梯平穩向下運行。

他兩手插口袋，打了個哈欠。徐雲妮視線不經意地往袖子上瞄了一眼，被抓過的地方布料微微變形。

最後，時訣帶著徐雲妮踏進了一樓的麥當勞。

他站在點餐機前，選了幾樣自己要吃的加入購物車，又轉頭問徐雲妮：「妳吃什麼？」

徐雲妮猶豫了一下，往前站了點，伸手點餐。

點完之後，打包結帳。

付款的頁面跳出來，徐雲妮還是停住了。

「真的吃這個嗎？」她問。

「妳不喜歡麥當勞啊？」

「不是不喜歡⋯⋯」

這個確實是最快的，能解燃眉之急，只是她大老遠過來，主動請客吃飯，就吃一頓麥當勞，說出去實在令人汗顏。

結果她這麼一尋思，面前螢幕一閃，時訣居然把帳結了。

「你幹嘛？」徐雲妮詫異道：「不是我請嗎？」

他拿過收據，悠悠瞥來一眼，便直接去了座位。

他選了個靠窗的位子。

過了一下，餐點好了，徐雲妮要站起來，時訣下巴輕抬，意思是不用動，他起身去拿。

他端著盤子過來，徐雲妮餓慘了，顧不得什麼餐桌禮儀了，撕開漢堡，狼吞虎嚥。

期間她看了時訣幾眼，還是覺得他形神疲憊。

「早知道我就換一天了，」她說：「我不知道你上集訓課會這麼累。」

時訣拿起可樂，晃了晃冰塊，問：「平時都是這麼騙自己的？」

「啊？哦，我忘了……」徐雲妮下意識閃開了美顏相機，拿回來調整。

時訣瞄一眼：「妳這十級濾鏡能看出什麼來？」

眼睛。」

徐雲妮沒想到他還同意了，用衛生紙擦擦手，拿出手機，調出相機對著他，「你看你的

「行啊，去哪照？」

「該帶你去照照鏡子。」

時訣先吃了薯條，問：「我累嗎？」

徐雲妮「呵」了一聲，說：「體諒一下，我沒你那條件啊。」

她換回原鏡頭，對著他，「這樣看到了吧？」

他沒什麼興趣地移開視線，徐雲妮在對面瞧著，感覺他那漫不經心瞥開眼的樣子，很像

路邊那些對人愛理不理的貓。

第七章 舞

徐雲妮剛這樣想著，手機震了一下，螢幕還對著時訣，他可能瞧見了內容，眼神看向徐雲妮。

徐雲妮翻過來，居然是王泰林傳來的訊息，她點進去看見內容，打字回覆，然後抬頭對時訣解釋說：「王泰林讓我們都去他直播間，送點禮物幫他漲人氣。」

她點進了王泰林的直播間，他正在唱歌，一首徐雲妮叫不出名字的流行歌曲。就算徐雲妮完全不懂聲樂，也能聽出來他唱得很好，唱起歌來跟本人的氣質很像，大開大合，情緒灌滿。

徐雲妮說：「王泰林唱歌很專業，他是專門學這個的，說從小開始唱。」

時訣把一袋薯條全都倒在盤子裡，嘩啦啦的。

兩三秒後，手機裡傳來王泰林爽朗的聲音：「感謝『最愛泰山辣麒麟』送的火熱玫瑰！感謝家人！來，大家點讚關注走一波！」

時訣擠番茄醬的手停在半空中，挑起眉毛。

徐雲妮覺得這場景，有點說不出的搞笑，她稍微抿抿嘴，說：「王泰林讓我們在直播間裡取跟他名字有關的ID，蔣銳是『因你泰美』，劉莉是『林家哥哥』，王泰林都嫌沒創意。」她指尖點點螢幕，「他最喜歡我這個，覺得霸氣，他因為這ID還請我吃了頓飯，準備拿來當粉絲團名字用。」

時訣右嘴角一抽，並不言語。

完成了刷熱度的任務，徐雲妮收起手機。正好說到王泰林，她就將之前那件事翻了出來。

「對了，丁可萌和王泰林那件事，是我誤會你了，不好意思。你還幫忙找王泰林說情，我一直想好好謝謝你。」

雖然手機裡提過一次，但徐雲妮覺得不管是道歉還是道謝，總歸面對面更有誠意些。

時訣：「多餘了吧。」

徐雲妮：「肯定不多餘啊。」

時訣笑著：「我是說我多餘了吧。」

時訣放下可樂，不鹹不淡道：「我看妳跟王泰林相見恨晚啊。」

相見恨晚還稱不上，不鹹不淡，但確實是相處得還不錯，徐雲妮很喜歡直爽的人。

但這不是現在的重點。

徐雲妮聽出他的不滿。

本來她說要請客，反而吃了他一頓，已經有點不像話了，徐雲妮認為，她不能一錯再錯。

她說：「那也是你先打好了基礎，你替我說了好話，他給你面子，不然情況還挺危險的。」

時訣：「危險什麼？妳怕他揍妳啊？」

第七章 舞

徐雲妮:「啊?王泰林會打人嗎?」

時訣:「怎麼不會?一二年級的時候常動手。」

「這樣啊⋯⋯」徐雲妮下頷微微揚起,好像想到了什麼,又鎮定下來,「沒事,班導師都說了,有問題就找班長,王泰林再厲害,他總打不過你吧?」

時訣愣在那,過了一下,質問道:「妳跟王泰林吃飯該不會是反過來說的吧?」

徐雲妮「呵」了一聲,「哪有。」

淺到瞬逝的笑。

時訣一手撚著薯條,攪拌著紙上的番茄醬,下巴墊在手背上,拇指撥撥喉嚨。

順利過渡了王泰林,徐雲妮與他聊起學校的事。

「主任前幾天一直找你,他跟你聯絡了嗎?」

「聯絡了。」

「應該是排練合唱的事吧,我也選上了。」

「喲,恭喜妳。」

徐雲妮拆開雞塊的盒子。

「沒什麼可恭喜的,選拔標準好像只有身高。」

「還有長相。」

徐雲妮一詫:「是嗎?」她稍稍琢磨了一下,又說:「後來主任說要挑幾個助手,我也

「報名了。」

「都是打雜的工作，妳報它幹什麼？」

「主任說是負責組織管理的，我還想當組長，沒選上，被樂團一個叫王、王……」

她一時沒想起來，時訣說：「王澤？」

「對，你認識他？」

「四班的，技術不過關，吹小號把自己吹發腮的音樂小老師。」

「就是他，我沒競爭過。」

時訣淡淡道：「妳官癮挺大啊。」

徐雲妮把盒子紙折好，看看時訣：「你沒官癮，那你為什麼要當班長？」

「因為我媽喜歡。」

「什麼？」

「她覺得我當上班長就是好學生了。」

徐雲妮啞然片刻，說：「那你之前都是什麼表現，讓阿姨覺得必須用班幹部的名頭來約束？」

時訣眼神飛去了一旁。

他們一句一句聊著。

說完了學校，徐雲妮又聊起了常在麵館，她一邊吃著漢堡，一邊研究著吳月祁的番茄牛

第七章 舞

肉麵湯底製作祕方,足足十來分鐘。

時訣在對面聽著,看著。

……算是意外,還是情理之中?

她還挺健談的。

他感覺不需要帶腦子了。

平穩的聲音,總能恰如其分地找到個合適的話題,把聊天自然而然進行下去。這頓飯則不然,那道時訣不是沒跟女生出來吃過飯,大多情況下都需要他來掌控節奏。

不過說實話,他現在是該省省力氣……

他提起精神,徐雲妮問:「要睡著了嗎?」

「……班長?」看他有點發呆,她問,「要睡著了嗎?」

「怎麼會,」他說:「妳別嫌我話少就行。」

「哦,沒事,」徐雲妮說:「你嗓子都啞了,少說點吧,留著力氣上課用。」

她說著,拿水喝了一口,檸檬水已經見底了,她試著把吸管移動到冰塊縫隙裡,把最後那半口吸上來。然後無意間一抬眼,看見對面的人手掌托著面頰,靜靜看著她。

安靜與疲倦,使他看起來像是拔了刺的玫瑰,只剩香氛與美麗。

他說:「真溫柔啊。」

什麼?

……誰?

她?

徐雲妮剛剛喝水的時候想了一個接下來準備聊的事,現在突然忘了。

靜默片刻,他問:「怎麼不說話?」

「不是,」她實話實說:「你一打岔,我就想不起來了。」

「啊……」他笑著說:「我的問題啊。」

這一聲比之前更輕了,卻又有種奇怪的穿透力,帶著鼓膜輕輕震動。

「那這樣吧,」他像是想要彌補一樣,提議道:「我來找個話題?」

「你說。」

「交過男朋友嗎?」

她說:「沒有。」

玻璃窗外,有小朋友跑過去,拿著個玩具,發出了叮鈴鈴的響聲。

時訣:「喜歡什麼樣的?」

……他們怎麼突然跳到這個頻道的?這些話該是他們這種關係聊的嗎?徐雲妮先是這樣想著,而後又想到,他們算是什麼關係?同學?朋友?

……話說他們現在稱得上是朋友嗎?

她說:「正直踏實的。」

第七章 舞

「哎?巧了,」他說:「我也蠻喜歡這種。」

徐雲妮看著他意味明顯的視線,放下手裡的食物。

「班長。」徐雲妮忽然十分好奇,問他,「你把我當成什麼了?」

時訣頓了頓,臉上笑意漸漸消失,「妳把我當成什麼了?」

不只神色,好像連聲音都落了地一樣。

徐雲妮回過神,感覺自己這話可能有點過了。

他偏開視線。

「班長……」徐雲妮解釋說:「我不是那個意思,我只是……」她說一半,看他的側臉,好像有那麼點故作姿態的意思,她試著問,「班長,你是在逗我嗎?」

他看過來,徐雲妮說:「還是真的生氣了?別嚇唬人啊。」

「沒有,」他笑了笑,「妳是什麼意思都沒關係。」

徐雲妮緩緩道:「我大概已經知道你的風格了。」

時訣好奇道:「我是什麼風格?」

「有點喜歡讓人誤會?」徐雲妮分析說:「班長,你有時候真的挺惡趣味的。」

「有嗎?」

「有,」徐雲妮想到什麼,「之前在酒館的那個晚上,你為什麼說你在陪酒?你哥明明說你們是為了跟別家公司合作。」

「差不多。」

「那還是差得有點多的。」

「過程都一樣的。」

「就算過程一樣,」她像在說繞口令一樣,「還是不一樣。」

她在吃一塊雞翅,很厲害的吃法,一口脫骨。

時訣靜靜看著她。

「妳知道妳在我眼裡是什麼風格?」他忽然問。

徐雲妮咽下雞翅:「什麼風格?」

「妳猜猜。」

「書呆子?憨秀才?土狗?」

「哈哈!」時訣被她逗得笑彎了腰,拍拍桌面,「哎,妳對自己的認知很到位嘛!」

徐雲妮面無表情,拿來另一塊雞翅。

等半天,他還是不開口。

「說啊。」

徐雲妮:「⋯⋯」

時訣:「就是妳自己說的類型。」

他又笑了,伸出手來。

第七章 舞

因為手臂太長了，很輕易就到了她面前，指尖托著她的下頜，往上輕輕一用力，幫她把嘴閉上。

「真夠呆的。」他淡淡道：「光成績好有什麼用啊。」

食指指尖，觸感非常硬，應該是常年練習樂器留下的繭。

吃吃喝喝，他們又聊起了別的。

「班長，你以後會當明星嗎？」

「幹嘛？要我提前幫妳簽名？」

徐雲妮說：「沒，就是有點好奇，我感覺……」她看著他，忽然說：「我感覺你像個天生的藝術家。」

「什麼？」他一愣，好像被什麼詞刺激了一樣，眉毛擠了擠，輕嗤一聲，「那妳看走眼了，我當什麼也不可能當藝術家的。」

「這樣啊。」

「妳呢，妳想幹什麼？」

「我大概會幹些在你眼裡很無聊的工作吧。你在那家舞社做了多久了？」

「好幾年了。」

「……你才多大？就好幾年了？」

「十九。」

「啊?你都十九了?」

「嗯,妳呢?」

「十七,我明年春天才過生日,你為什麼⋯⋯你是上學上得晚嗎?」

「不晚,」時訣說:「我家人之前生病,我休學了很久。」

徐雲妮計算了一下:「那十九歲做好幾年,也有點誇張了啊。」

時訣摸摸下巴,回憶著。

「我大概十五歲就開始在我哥課上幫忙了。」

「那不是當童工嗎?」

「是啊,」他笑笑,「別把我哥當好人啊。」

徐雲妮想了想,問:「你哥知道你和阿京的事嗎?」

時訣:「他不需要知道,上個課而已。」

徐雲妮:「你像在上減肥訓練營。」

「哈,」時訣摸摸自己的脖子,嘀咕著,「⋯⋯還行吧,我本身是比較容易掉體重的體質,等空下來多吃幾頓就好了。」

他的指尖在自己的喉嚨和鎖骨之間隨便撥弄了幾下,他的手非常白,脖頸也非常白,指甲是粉的,血管則是淡淡的紫。

徐雲妮把鳳梨派掰開。

第七章 舞

她又問:「崔浩跟你有血緣關係嗎?」

時訣:「沒有,他是我爸的學生,他跟瑤瑤是堂兄妹。」

說起崔瑤,徐雲妮又問:「瑤瑤是長白頭髮了嗎?」

「什麼?」時訣想了想,「哦」了一聲,「那是噴的,她學校最近有活動,崔哥不讓她染頭髮。應該是自己噴的,不太熟練吧。」

「噴的?我就說,怎麼只有長一處。」

「……」

「挺好看的,新潮。」

時訣抽抽嘴角。

徐雲妮把剩下兩個雞塊疊一起吃進去了。

時訣只吃了一對雞翅、一盒霜淇淋,一份馬鈴薯泥,之後就不怎麼動了,偶爾拿幾根薯條。桌上的東西基本都被徐雲妮吃光了,她能看出來他身體疲憊,胃口不佳。

後來她去了趟洗手間,回來的時候,發現不遠處有一桌人盯著時訣看,還有人偷偷拿手機拍他。

幾個女生笑著,小聲說話。

徐雲妮看向座位。

時訣已經澈底不吃東西了,一手揣在連帽衣的前口袋裡,一手虎口卡在臉上,看向窗外

不知是手太大,還是臉太小,這麼簡單的一個動作下來,他的頭髮下面剃得較短,上面留了七八公分的長度,髮質看起來很鬆軟,剛剛洗過,有些凌亂,將眉目半遮半蓋。

不知道是不是從小學舞的原因,他不管什麼姿勢,看起來都像在凹造型一樣。

一切矚目,都有理有據。

徐雲妮走過去,坐下。

「差不多了,我們走吧。」她說。

時訣起了身。

出了商場,冷風吹來,徐雲妮拉上衣服拉鍊,對時訣說:「明明我說要請客,還蹭了你一頓,真不好意思。」

徐雲妮感覺剛剛舒展開的皮膚再次收緊了。

他不甚在意:「下次再請回來唄。」

「好。」

「我等下沒課了,要逛逛嗎?或者去店裡坐一下?」

「不了,太晚了,你趕緊休息吧,我們學校見。」

時訣說:「嗯。」

吃得倒是很開心,爽快暢聊。

休息。

他們在路口分別。

時訣在原地等紅綠燈，徐雲妮則順著長街離去。

第八章 野狐狸

時訣站了一下,側過頭。

徐雲妮兩手插著口袋,大步流星,偏偏走的是逆行,顯得背影愈發清晰俐落。她漸行漸遠,最後身影澈底融入了喧囂的街道,和來往的人群中。

時訣回過頭來,將衣服的帽子往頭上一扣,朝馬路對面走去。

回到SD,推開大門,時訣準備直接轉彎上樓。

自打阿京來了,一樓總是被他占著,上完了課就往休息區一坐,找能看得上眼的女生說話。他本身形象不差,又有藝人身分加持,圈裡圈外聊一通,甭管真假,吃這套的人不少,天天晚上休息區都跟趴一樣熱鬧。

他上樓上到一半,被趕過來的崔浩喊住了。

「回來了?哎哎!你等等。」崔浩一手支在樓梯頭上,朝他揚揚頭,「怎麼樣?」

時訣奇怪道:「什麼怎麼樣?」

「你不是跟那女生去吃飯了嗎?」崔浩好事地問,「順利嗎?」

時訣站在樓梯上看著他,沒說話。

崔浩說：「我剛才帶她看你上課，她很關心你呢，說你最近太累了，肯定是對你有意思。」

靜了一下，時訣笑道：「人家只是來吃個飯而已，沒想那麼多。你以為都跟你似的，滿腦子這些事。」

後面，崔浩過來了，看著他們說話。

崔浩還在問：「那你們吃完飯就散了？沒再去哪玩玩？」

「沒有，她回家了。」

後面的崔瑤小聲說：「你們在說什麼呀？」

崔浩回頭看她，擺手道：「沒妳的事，一邊玩去。」

「嘖，你也不行啊！」

崔浩特別不喜歡崔瑤把她當小孩一樣的態度，但她又不敢頂嘴，她也不走，自己拉著小臉站一旁。

時訣說：「你哥在說我沒有女人緣的事。」

「……什麼？」她一臉震驚地轉向崔浩。

崔浩指著時訣，在那邪笑。

魏芊雯在裡面喊崔浩，把人叫走了。

時訣準備上樓。

「……時訣。」崔瑤往前一步，「你吃飯了嗎？我們點了外送，你要不要一起吃？」

「我吃過了，你們吃吧。」

他打了個哈欠。

很睏。

崔瑤聞到了香水味，很淡，應該只是擦了一點點，但肯定是擦了。

其實時訣在日常生活中，並不常用香水。

她看著他，張張嘴，又低下頭。

時訣打完哈欠，看到她的髮梢，「頭髮自己弄的？」

「嗯……」崔瑤摸了摸，然後往後面撥，「前天噴的，我哥不讓我弄，罵我了。」

時訣有時候會覺得崔浩挺有意思的，自己抽菸、喝酒、泡吧、刺青，什麼都沾，偏偏看女人的標準越純越好，教育妹妹必須規規矩矩，一點出格的事都不能幹。

「還不錯。」他說。

崔瑤說：「我哥說像老太太……」

「胡說八道，」時訣笑道：「別聽他的，他說什麼就是什麼？我也是妳哥，我說好看。」他臨時想到一個詞，『新潮』。」

崔瑤一愣，時訣哈哈兩聲，輕盈又放鬆，轉身往樓上走。

第八章 野狐狸

徐雲妮到家差不多九點半。

李恩穎和趙博滿還沒回來。

徐雲妮回到自己房間，洗了個澡，然後裹著浴巾在鏡子前刷牙。氤氳的水汽籠罩鏡面，徐雲妮伸手擦了一下，露出一抹清晰的面孔。她好像看著鏡中的自己，又好像注意力發散，在想著什麼。

沒多久，鏡子再次被水汽罩起。徐雲妮彎腰漱口，回到臥室，換了一身居家服。出來後，她找到正在打掃衣帽間的保姆張阿姨，問：「阿姨，小帥在家嗎？」

張阿姨說：「在，房間裡呢。」

徐雲妮來到趙明櫟的臥室門口，敲了敲門。

「誰啊？」

「是我。」

屋裡靜了三四秒，趙明櫟過來開門。

「打擾你了嗎？」徐雲妮問。

趙明櫟：「沒啊，有事嗎？」

徐雲妮：「我之前看過你在國外上學的照片，有一張 drama club 的合影，你是去看演出嗎？還是參加了戲劇社團？」

「肯定是參加了啊，」趙明櫟得意道：「我還得過獎呢！」

「真厲害，」徐雲妮說：「是這樣，我有點事想找你幫忙。」

趙明櫟一愣，沒搞明白狀況，他抓抓雞窩頭，側過身：「有什麼事？先進來說吧。」

這臥室是趙明櫟親手打造的娛樂室，裡面電腦、主機、街機、劇院，一應俱全，書架上擺著各種從世界各地找來的東西。

趙明櫟拉來一個椅子，徐雲妮坐下，開始講事情，她表述能力極強，前因後果很快就交代清楚了。

趙明櫟一邊聽著，思緒翻飛。

他第一次見徐雲妮是從趙博滿的手機裡，趙博滿拿了一張徐雲妮與李恩穎的合影給他看。趙博滿絮絮叨叨地描述她，簡單總結，就是成績還不錯，是個很懂事的孩子。趙明櫟看著照片裡的女生，確實感受到了強烈的好學生的氣質。

趙明櫟對這對母女的態度還挺看得開的，主要是趙博滿離婚離得早，他又長時間生活在國外，他媽那邊早就再婚了，倒是趙博滿，一直一個人過。

兩家第一次一起吃飯，趙明櫟見到徐雲妮本人，她對趙博滿和他十分客氣，趙明櫟感覺，她大概是一個標準程下成長起來的那種循規蹈矩的溫室乖寶寶。

後來發生了一件事，稍稍改變了他的看法。

有一次，他們全家一起去探望爺爺。

當時爺爺身體已經不太好了，住進醫院看護。他們聊著天，爺爺忽然想吃豆沙包，趙博

满就讓趙明櫟和徐雲妮去外面買。醫院對面有一家粥鋪，但剛好賣完，新的正蒸著，還要七八分鐘，他們在門口等。

隔壁是一家水果店，老闆是個四五十歲的中年男子，出了點狀況，店鋪門打不開了，是玻璃門的鋼化門鎖，大概是不小心被風吹上了。

後來他叫來一名鎖匠，有點口吃，說了半天講清楚這種鎖芯開鎖要七十塊錢，老闆著急，一口答應，讓他快開。

鎖匠拿了工具，半跪在那，鼓搗了幾下就開了。

老闆眼睛睜大，沒反應過來似的，「不是，你逗我呢？這不能收七十吧？」

鎖匠說：「是統、統統一一收費的。」

老闆看看周圍鄰里，說：「這不是眨眼之間就打開了？不到十秒就要七十塊錢？行了，這樣，你也別說了，給你二十，你穩賺了。你們這定價真是坑人，幾秒鐘就打開了還跟人要七十！」他拿出手機，一臉不耐煩，「來吧，二十塊錢轉過去給你。」

兩人僵持了老半天，鎖匠又急又氣。

老闆最後說：「要不然你打個電話問一問，反正就二十。其實二十都多了，一個三秒鐘的活，我一天累死累活才賺多少……」他轉身往店裡走，結果一轉頭，發現面前多了個人。

趙明櫟本來在看熱鬧，忽然一頓，看看身邊位置，居然空了。

她什麼時候過去的？

徐雲妮沒說什麼，伸手把門重新關上了。

老闆眼睛瞪大，那鎖匠怒道：「我、我不幹了！你、你愛找誰，找找誰去！」他氣得直哆嗦，扣上帽子，騎著電動車走了。

老闆朝著那鎖匠喊了兩嗓子，沒喊回來，回頭對著徐雲妮罵：「妳他媽有病吧！妳給我打開！來！妳給我打開！」

徐雲妮說：「下次談妥價格再讓人幹活。」說完，轉身往回走。

老闆在後面罵，嘴巴那叫一個髒，他撿了塊石頭洩憤一樣往徐雲妮腳扔，徐雲妮也沒理。老闆怒火中燒，上前兩步，要拉徐雲妮的肩膀。徐雲妮像背後長眼睛了一樣，轉過身抬手「啪」的一搧，把他手臂搧到一旁。

她說：「你想幹什麼？」

她動作太流暢了，超乎想像的俐落，老闆還沒回過神，她往前半步，再次問他。

「你想幹什麼？」

一見要起衝突，旁邊的鄰里開口勸了。

「哎，算了吧算了……」

老闆嘴裡仍然罵罵咧咧，倒沒有真動手。

回到早餐店，新的一籠豆沙包已經好了，徐雲妮打包結帳，拎著袋子回頭跟還傻愣著的

第八章 野狐狸

趙明櫟說：「走吧。」

兩人帶著豆沙包回了醫院。

趙明櫟看著面前的人。

徐雲妮穿著一套淺色的居家睡衣，剛洗過的頭髮還沒有完全乾，梳到腦後，眼神語氣，都跟平日裡一樣，如果把畫面靜音，大概沒有人能聯想到她說話的內容。

「……你怎麼看？」說完的徐雲妮詢問趙明櫟的意見，趙明櫟興奮道：「來，我們討論下細節，妳等我把遊戲退一下。」

「可行啊！」這聽起來可比遊戲有意思多了，趙明櫟有意向徐雲妮詢問這種請求，很大程度上拉近了他們的關係。趙明櫟討厭死板，他喜歡腦子靈敏，愛玩花樣的人。

而且最關鍵的是，他最近超無聊。

月黑風高，殺人會議。

事實上，趙明櫟越說越有興致，志得意滿地說：「這事交給我妳放心！」他指了指自己，「史坦尼斯拉夫斯基體系，沉浸本色就行了！讓我想想……妳有那小子照片嗎？」

徐雲妮：「我去找找。」

與趙明櫟談妥後，徐雲妮回到自己房間，她坐在桌前想了想，用手機傳訊息給時訣。

『班長，你有阿京的照片嗎？』

大概半分鐘後，她收到一張照片——一張海鮮市場裡被人遺棄在保麗龍箱的腐爛魷魚特寫。

『妳又傳：『我有正事。』

『妳跟他還有正事呢？』

『就一張，能看到臉就行。』

時訣沒有再回覆。

在徐雲妮以為話題結束了的時候，忽然彈出語音通話，她微微一詫，接通了。

『……喂？』

時訣開門見山：『妳有什麼正事？』

徐雲妮這計畫目前有點不好開口，隨口編撰道：「沒什麼，我有一個朋友在看練習生綜藝，很感興趣，我說我見過活的，他就跟我要照片看看。」

時訣評價：『妳真閒。』

他聲音沙啞，像是剛睡醒的樣子。

手裡忽然傳來一道女聲。

『時訣，你醒了嗎？我哥叫你。』

徐雲妮說：「沒事，你先去忙吧，我先掛了啊。」

她掛斷通話，看著檯燈照耀下的試卷，翹了一個小邊。

上哪找張阿京的照片先讓趙明櫟認認臉呢？

那天去SD的時候，她聽他們聊天，阿京的公司好像叫樂陽傳媒……

她拿著手機，去各個社群平臺上搜尋，在微博發現了這家公司，官方帳號關注的人不少，徐雲妮正嘗試一個個找，手機一震。

班長傳來一張圖片。

他手持著一張列印出來的資料表，上面有阿京的照片，還有他的各項履歷。

履歷上的證件照一看就是過度修圖，臉型眉眼修得極其用心。但說實在的，徐雲妮打心底裡覺得，阿京這張臉P得再精緻，也遠沒有照片裡露出的那半隻夾菸的手好看。

兩日後的傍晚。

五點多，SD舞社內。

時訣打著哈欠從二樓下來。

近一週他每天平均睡眠時間五個小時，嚴重休息不足。

他進了前檯，坐進沙發裡，正在腦子裡過一遍等等要上課的內容，聽見旁邊有人說話。

是崔瑤。

「你們這的卡是怎麼辦的？這是價格單？……啊，那先給我來個一年吧！」

這聲音確實在爽朗過頭了。

時訣稍微轉過頭，一個年輕人，一身花裡胡俏，正在跟魏芊雯填報名表。他看起來十六七歲，個子不算高，很瘦，下吊眼，一臉玩世不恭的模樣。

魏芊雯少見這麼痛快的人，堆著笑，說：「帥哥，你之前有基礎嗎？」

年輕人說：「完全沒有，純新人，入門難嗎？」

魏芊雯說：「不難啊，只要有興趣一定學得會！如果你想打牢基礎，也可以選擇先體驗幾節私人教練，各個舞種都感受一下，我們這什麼老師都有，然後再選自己喜歡的。」

年輕人說：「行啊，體驗唄！我主要是想鍛煉身體，開開胃，增肥！」

魏芊雯說：「別人都來減肥，就你是來增肥的。」

年輕人笑道：「新鮮吧？」

大門又被推開，阿京進來了，到前檯裡拿水。

他在冰櫃裡翻了一下，說：「我的補充劑怎麼少了一瓶？」

魏芊雯回頭說：「昨天兒童班有小朋友看見了，沒見過想嘗嘗，當時我不在店裡，就直接拿了。」

SD店內的註冊會員是有免費飲品和零食的，休息區放置了咖啡機和茶包，都可以自行操作。要冰櫃裡的水時，跟前檯說一聲就行了。

阿京不滿道：「誰拿給他的？」

魏芊雯頓了頓。

時訣說：「我。」

阿京轉向他。

「你憑什麼把我的補充劑給別人？」

「誰知道是你的？」

「你——」

「別別別……」集訓課上了這麼多天，魏芊雯也知道這兩人不合，幫忙圓場，「到時候讓崔哥買幾瓶給你。」

阿京不依不饒，瞪著時訣，「這不是買不買的問題，你隨便動我東西不道歉嗎？」

時訣慢慢靠到沙發上，翹起二郎腿，笑著看他，「你下次買補腦丸放裡面，我就知道是你的了。」

阿京一怒之下就要衝過去，魏芊雯趕緊拉住了，「哎哎！別別別！」

在戰況一觸即發之時，旁邊插來一道輕鬆的聲音，「表填完了，給誰啊？」

他一句適時解了圍，魏芊雯忙說：「給我就行！」她接過報名表，勸說阿京，「算我求求你們了，安分一下吧！」

年輕人笑著說：「他們能吵起來妳也有責任啊，妳知道那是私人物品，離櫃前該跟其他

人交代清楚啊。」

魏芊雯承認說：「對對對，這事怪我，是我疏忽了，對不起對不起啊，你們都消消氣。」

勉勉強強算是安撫下去了。

年輕人問：「私人教練都是一對一的嗎？沒有夥伴會不會無聊啊？」他看向阿京，主動打招呼，「帥哥，我看你跟我年紀差不多啊，」他問魏芊雯，「我能跟他一起上課嗎？」

阿京也正打量著趙明櫟。

趙明櫟這身行頭是他和徐雲妮根據角色定位精心訂製的，從頭武裝到腳，渾身都是搶眼的名牌。這個「考究」不是指穿著搭配有多合適，而是完全投阿京所好，沒有一處不考究。本來趙明櫟剛才的發言就讓阿京有好感，這麼仔細一看，更生親近。

趙明櫟也看了看自己，笑道：「怎麼了？」

「靠！兄弟，你是來學跳舞的？」

「你也太誇張了，」阿京看著趙明櫟的外套，「這是最新秀款吧，已經開售了？」

趙明櫟面露喜色，「帥哥，要不然我跟你一起上課吧，也有個伴。」

「喲，識貨啊，這我上週剛拿到的，」

「啊？你是高級班的嗎？你跳得很厲害嗎？」

阿京笑笑：「你沒基礎跟我可練不了。」

「你以為呢，」阿京看他戴的項鍊，忍不住又說：「這個我也有。」

第八章 野狐狸

趙明櫟撥弄一下項鍊:「這是聯名的,這牌子蠻小眾的,你在哪買的?」

「我……」阿京頓了頓,反問他:「你在哪買的?」

「紐約設計師工作室啊,還能在哪?」他朝旁邊撇撇頭,「你忙嗎?能聊聊嗎?你先跟我介紹一下這的教學品質,這你熟嗎?哪個班氣氛最好?」

「氣氛都差不多,主要看你喜歡什麼。」

兩人你一句我一句,一邊聊一邊往店裡走。

魏芊雯目送他們離去,回頭小聲對時訣說:「哎……你看見剛才那小子了嗎?太高調了,十個手指頭戴了八個戒指,不知道的以為薩諾斯呢!」

時訣沒說什麼,轉回眼來。

這晚,趙明櫟在SD報名了。

徐雲妮放學回家,趙明櫟正在休息,兩人聚在屋裡開總結會。

趙明櫟把手機給她,說好友已經加上了,一個腦殘。

徐雲妮翻了翻阿京的動態,都是他跟各種明星藝人的合影。

會議大概持續了半個多小時左右,把當天情況捋一捋,然後再調整接下來的步驟。

就這樣,在某些點對點的癖好支撐下,趙明櫟很快就跟阿京稱兄道弟了。

至少表面上是這樣的。

幾日後，阿京跟趙明櫟說自己約了個酒局，叫了幾個朋友，問他要不要去。趙明櫟說到時看看情況。

當天晚上，趙明櫟去ＳＤ上晚課，上完一小時累得渾身是汗。他跟阿京碰頭，跟他說晚上有事去不了了。

他們在更衣室裡聊天，趙明櫟脫了衣服準備洗個澡，一邊不無遺憾地說：「哎，今晚要去爺爺家。」

他摘了手錶，放在運動包裡，就進了淋浴間。

洗完澡後，一身輕鬆，趙明櫟溜溜達達離開了。他在走廊裡碰見正跟人聊天的阿京，說：「你晚上好好玩啊，我先走了。」

阿京看看他的背影，總覺得少了點什麼，說：「哎你⋯⋯」話到嘴邊，忽然又咽下去了。他等趙明櫟走了，回到更衣室，果然看見他遺忘在椅子上的運動包。他過去拉開，那支錶就躺在運動服上面。

這是徐雲妮和趙明櫟研究出的法子之一。徐雲妮覺得，阿京一個這麼在乎牌子的人，寧可戴支假錶，說明他很可能是非常喜歡手錶的。

不過這鉤有點太直了，他們都只當成試探。

沒曾想，阿京還真是條難見的淳樸之魚，見鉤就咬。

他將那支錶戴去參加朋友聚會了。

等晚上課都上完了，快關門的時候，趙明櫟殺了回來，要取運動包，結果發現錶不見了，找前檯詢問情況。

趙明櫟說：「啊？不可能吧，你要不要再找找？」

魏芊雯詫異道：「找什麼啊？把你們監視調來看看吧。」

趙明櫟說：「找什麼啊？把你們監視調來看看吧。」

魏芊雯調出監視，結果就看到了阿京的所作所為。

魏芊雯看得一腦門汗，她不想事情鬧大，還幫阿京打圓場。

「他沒跟你說嗎？應該是想借出去炫耀一下，他那人你還不知道嗎？虛榮得很，吃完飯應該就拿回來了，到時候我替你說他。」

趙明櫟手指頭敲敲前檯：「不告而取是為賊。」

魏芊雯一頓，說：「有點誇張了吧，你們不是朋友嗎？」

趙明櫟冷笑道：「朋友？妳見過這種朋友嗎？隨隨便便拿人東西？這事我絕對追究到底。」

魏芊雯隱隱覺得有些不妙。

後方，時訣抱著手臂靠在冰櫃前看著這一幕。

魏芊雯對他使了個眼色，意思是你倒是勸一勸。

時訣說：「你是想報警還是怎樣都隨便，但這是你自己沒把包放到櫃子裡，丟東西是你跟他的事。」

趙明櫟瞥他一眼：「我也沒說跟你們有關啊，誰幹的我找誰。」

魏芊雯看著著實在沒辦法，先聯絡了崔浩，又通知了阿京。

阿京先回來的，他回來的時候沒太當回事，跟趙明櫟打哈哈。

「兄弟，不好意思，忘了告訴你了，我就是想試試看效果，戴著合適我也打算買一支。」

趙明櫟差點沒笑出聲來，說：「你說試試？自己少瓶營養劑就受不了，偷別人東西怎麼這麼順手啊？」

阿京一愣，感覺趙明櫟忽然之間整個神態都變了，臉上的笑很諷刺，陌生得很。他眉頭緊了緊，說：「你這話有點難聽了吧，什麼叫偷東西，我這不是拿回來了嗎？」

趙明櫟說：「拿回來就行？誰知道有沒有問題？我明天帶錶去做鑑定，要是有損傷我肯定報警。」那錶在他手裡晃著，「你也識貨，什麼價你自己心裡有數。」

阿京臉色難看至極：「你這就沒意思了啊，這事是我欠考慮了，但我就借一下，這麼下能有什麼損傷，你是不是想騙錢啊？」

趙明櫟「嘿」了一聲：「盜竊？怎麼是盜竊呢？我都拿回來了！」

阿京震驚道：「盜竊？怎麼是盜竊呢？我都拿回來了！」

趙明櫟摸摸耳朵，說：「你別跟我叫，自己去查，查完量刑標準，再查查法律描述，看你說的『還回來了』有沒有用？」

阿京情緒激動，加上晚上喝了酒，激得脖子通紅。

第八章 野狐狸

「你到底想幹什麼啊!」他吼道。

趙明櫟奇怪道:「你別問我啊,你簽公司了是吧,自己能處理嗎?處理不了趕緊走人吧,換個明白的來。」

趙明櫟的臉上一點也瞧不出對手錶的關心,說話不急不徐,卻步步緊逼,完全沒有轉圜的餘地。

過一下崔浩也趕回來了。

他已經從魏芊雯那知道了事情,放下東西,對趙明櫟好聲相勸,也沒勸動。

阿京被搞得要爆炸了:「靠!就這麼點事,我承認我錯了還不行嗎?報什麼警,你至於嗎!你真想要錢私了我們就說個數字!」

在他跟趙明櫟較勁的時候,崔浩來到前檯,看了魏芊雯一眼。

魏芊雯跟他多少年的老熟人了,一下就明白了,小聲說:「把監視刪了?」

時訣走過來,背對著趙明櫟他們,靠在櫃檯上,「哥,別管。」

崔浩最後沉沉嘆了口氣,瞄了阿京一眼,低聲罵:「我他媽服了!我跟李雪琳說一聲。」

魏芊雯開導他說:「這也怪不得我們,是他自己犯錯。要不然趕緊讓樂陽把人帶走吧,真報警了,影響多不好啊。」

趙明櫟看他們聚一起說話,也不在意,表明了態度就離開了。

阿京點了菸，蹲在走廊裡抽。

崔浩沒辦法，聯絡了李雪琳，來龍去脈一說，李雪琳也很生氣。她先跟崔浩道了歉，讓他把人先送走，只留若依繼續上課，然後再看看情況，如果趙明櫟繼續糾纏，公司那邊會派個法務過來溝通。

阿京也被趙明櫟說的報警弄怕了，接了李雪琳電話，大半夜就收拾東西走了。

第二天一早，趙明櫟來了。

大夥原本以為趙明櫟知道阿京跑路的消息會鬧起來，沒想到他聽完，竟然樂了，說：「啊？這就跑了？真好笑。」

魏芊雯試著問：「帥哥，你那錶沒事吧？」

趙明櫟：「哦，沒事啊，我就是過來通知你們一聲。」

魏芊雯心中巨石落地，長出一口氣，感嘆道：「哎呦，你下次別帶這麼貴重的東西來了，多危險啊！」

「哈，不好意思，虛驚一場，姐，沒影響你們做生意吧。」

「沒沒沒，東西沒事就好。」

隨便寒暄了幾句，趙明櫟就準備走了。

魏芊雯看著關上的大門，心有餘悸道：「幸好沒事，我要去訂個牌子，寫上貴重物品隨

身保管。不過這小夥子真奇怪，昨晚那麼不依不饒，今天居然這麼好說話⋯⋯」

她這邊念叨著，一旁沙發上沉默看著的時訣忽然起身往外走。

他推開大門，左右看看。

趙明櫟還沒走遠，拿著手機一邊看一邊往路口走。

趙明櫟的肩膀被人拍了一下，他回過頭，另一側晃過一道影子，然後手機就被人抽走了。

「哎？哎哎哎！幹嘛啊？」趙明櫟想去搆手機，但肩膀被時訣抓著，長臂一伸推出老遠。

手機螢幕上，是一個遊戲諮詢網站。

「還我還我！搶劫是吧！」趙明櫟嗷嗷叫喚，時訣轉頭看他一眼。

趙明櫟硬是被他這眼看閉嘴了。

時訣從手機下面拉起分頁，找到聊天軟體點進去，沉默兩秒，又退出去了。

趙明櫟的角度看不到螢幕，不知道他在幹嘛，就趁時訣一頓之際，快速突圍，把手機奪了回來。

他不高興地說：「你怎麼搶人東西呢？」

時訣眼神往旁邊的人行道瞄了瞄，靜了一下，又看回來。

他抬起指尖搔搔下頷。

一個小小的動作，卻讓趙明櫟察覺周圍氣氛沒那麼緊張了。他把手機揣口袋裡放好，進一步控訴：「要麼偷東西要麼搶東西，你們開黑店啊？你比阿京還過分！」

「哎，」時訣不太滿意似的，「怎麼拿我跟他放一起呢。」

趙明櫟不知道時訣是不是察覺了什麼，但他不說，他就接著裝傻，撇嘴道：「我走了。」

時訣抬抬下巴，意思自便。

趙明櫟走了兩步，又停下了，回頭打量時訣。他將他從頭到腳看一遍，然後發自肺腑地說了句：「哥們，其實第一天見你我就想說了，你真他媽夠帥的！」

時訣：「你也不差。」

趙明櫟晃晃手指頭：「NONONO……客觀講，跟你比還是差點，你說我要學多長時間舞蹈才能像你這麼帥？」

時訣淡淡看著他，驀然一笑：「不用那麼辛苦，把錶戴上就行了。」

「哈哈！」趙明櫟被逗得直拍手，說：「你別誤會啊，我可不靠那個！」他拍拍自己胸口，煞有其事，「我是靠人格魅力，走了！」

他說完，去路口叫車離開了。

時訣沒走，他在原地留了一陣子。

現在是早上八點多，對於這片商業區來說，還是沉睡的。今天有點陰天，放眼望去，整個街區像罩上一層紫灰色，飽和度很低，泛著很淡的冷色調。

第八章 野狐狸

時訣站在那，沒什麼表情。

這張臉，一旦素靜下來，就顯得十分拒人於千里之外。

過了一陣子，他拿出手機，打開某個畫面。

最後的內容停留在多天前，他傳阿京的資料給她，然後她回覆了一個OK的貼圖。

他又往上滑了滑。

看到她之前傳給他的影片，那個五六秒鐘，他跟三個人打架的影片。

算算日子，其實沒過去太久，但可能最近暈頭轉向，他感覺過去好一陣了，什麼都記不清。

……那晚都說了什麼？

路邊的小樹枝椏上停了一隻麻雀，牠梳著毛，蹦躂了幾下，然後飛走了。

時訣站了片刻，轉身回去店裡。

再出來的時候，一身衣服已經換成了校服。

秋高氣爽。

美麗的華都操場上，正在排練合唱。

徐雲妮也在其列，甚至被安排到後排中間的位置，王泰林錄過太多次了，經驗豐富，告訴她這幾個位置上鏡最明顯。

「所有的目光,聚焦於妳!欸欸欸欸欸欸——!」

徐雲妮不知道自己為什麼會被安排在這,對此,王泰林的解釋是:「別看我們主任老花眼,經驗還是豐富,撥開現象看本質,什麼外形上相一眼就能看出來。」他評價徐雲妮,「妳雖然土了點,但小頭小臉,脖子又長,正適合出鏡。」

徐雲妮站了C位,壓力劇增。

王泰林就在她身後,也算是男生的中心位,看她在那瘋狂翻樂譜,說:「翻什麼呢,妳看得懂嘛?」

徐雲妮不說話。

王泰林笑道:「要不然我教妳唱校歌吧,妳乾背歌詞肯定能看出來的,妳這位置太顯眼了。」

徐雲妮:「能看出來?」她回過頭,有點懷疑,「不是說就錄個影嗎?這也能看出來?」

王泰林逗她說:「當然了,妳是外行不懂,朗誦跟唱歌的韻律能一樣嗎?氣息差太多了。妳放心,校歌簡單得很,一個小時就能學會。這樣,我也不收妳學費了,就三頓飯吧,算便宜妳了。」

徐雲妮:「行。」

他拿譜拍拍她:「叫師父!」

第八章 野狐狸

「哎……」徐雲妮把他撥弄開,「過分了啊。」

隊形擺得差不多了,領隊的老師帶著排了幾遍,主任不太滿意,覺得氣氛不夠熱烈。他讓學生們先解散,回去再練練表情,下次挑個時間接著練。

「要笑!各位!」主任用力拍手叮囑,「我們這是錄影!調可以跑,後製再調,但笑的一定要好看!」

周圍同學懶洋洋地附和著。

徐雲妮沒有動,還在研究手裡天書一樣的譜。

前方傳來主任興奮的聲音。

「……哎!你來了,太好了!我告訴你,你躲外太空也沒用,演奏位你跑不掉!」

「主任,我跑哪啊,你們先排著。」

徐雲妮聽見這聲音,抬起頭。

其實也不算抬頭,因為她還站在排練架上,她的位置比較高,稍微把視線抬起來一點,就看到來到隊伍前方的時訣。

一陣秋風從操場的東邊吹到西邊,一路上吹動了很多東西,藤藤蔓蔓、校服衣擺、手裡的樂譜、額前的碎髮,還有周圍人窸窸窣窣的話語。

不得不承認,有的人每一次出場,都像是老天精心安排。

時訣走到隊伍正前方,正中心,停住,朝上面揚揚下巴。

「有什麼要跟我解釋的嗎？」

周圍的視線瞬間都投射過來。

徐雲妮拿著譜，左右看看，還跟後面的王泰林對視了，王泰林說：「妳。」

她轉回來，時訣說：「下來。」

徐雲妮站著沒動。

時訣說：「妳想在這說也行。」

他反正是無所謂的。

徐雲妮想了想，收起樂譜，下了排練臺，兩人往外走。

後面有同學聚在一起小聲討論。

徐雲妮與時訣沒走太遠，來到操場外側，靠近圍欄處。

圍欄外長著一棵樹，樹很高，也很茂盛，半邊樹冠支到校園裡，半邊留在外面，他們已經停下了，徐雲妮以為他會開始說話，但他就那麼看著她。

徐雲妮的心裡隱約有了預感。

「你找我來幹嘛？」她先開口道。

「不幹嘛，問妳件事。」

「什麼事？」

「妳朋友的練習生綜藝看得怎麼樣了？」

第八章 野狐狸

她身體稍稍往後靠了靠。

果然，東窗事發。

徐雲妮：「你都知道？」

時訣：「知道什麼？」

徐雲妮腦子稍微有點亂，時訣突然出來說這個，她沒什麼準備。

「你們那邊什麼情況了？有什麼紕漏嗎？小帥被發現了嗎？」

她一連串的詢問，語氣很謹慎。

他看向一旁，說：「阿京走了，妳朋友跟妳說了嗎？」

時訣本想嚇嚇她，話到嘴邊，看看她那副認真的樣子，又停下了。

「他已經走了？」徐雲妮聽到這個，稍安下心，「那還挺順利的。小帥還沒跟我說呢，昨天晚上他回來的時候說阿京上鉤了，明早再看看。然後今早我出門的時候他還沒起床。」

時訣視線轉回來，看著她不說話。

徐雲妮覺得時訣可能沒睡夠，整個人透著股倦怠，但還算放鬆，眼睛半開半闔，沒什麼表情。

遠處的操場，排練的學生漸漸散去。

校園重新恢復寧靜。

「阿京發現了嗎？」徐雲妮問。

「沒。」他問:「妳費那麼大力氣整他幹什麼?」

徐雲妮回憶道:「你記不記得我去找你那晚,你反覆激怒他,他明顯還是不爽,我怕他會再搞些小動作。」

時訣:「所以呢?」

徐雲妮:「?」

時訣:「他搞不搞動作,關妳什麼事?」

這個稍有點刺的反問讓徐雲妮頓住幾秒,看著他的臉色,「什麼意思?你覺得我多管閒事了?」

時訣輕嗤一聲:「我可沒這麼說。妳整他就整了,為什麼不告訴我?」

徐雲妮:「你不知道的話,這事成不成都跟你沒關係,也跟你們店裡沒關係。要是沒成,小帥就當去鍛鍊身體了。他年底要出國,現在天天宅在家裡打遊戲,一天就吃一頓飯,他爸爸經——」

「妳跟他什麼關係?」他打斷她。

「誰?小帥嗎?」徐雲妮說:「我們……算是姐弟吧。」

「『算是』?」

「對,我們是重組家庭,我媽媽跟他爸爸在一起。」

時訣沒說話。

他好像不太想說什麼了，但也沒有要走，就站在那，像是放空了。

清清涼涼的秋晨，讓人的腦子比往常通透。

也許是這場景太過靜謐了，逐漸讓徐雲妮進入一種怪妙的思緒裡。

她看著眼前的人，腦子裡不自覺地過了一遍與他認識至今發生過的事……她覺得時班長是個優缺點都很鮮明的人，他天資優越，但又時常仗著條件而略顯輕浮，他玩心甚重，卻也有著明確的目標和該有的擔當。

你不能說他是個完全真誠的人，但也絕對不出他很差勁的評價。

思來想去，徐雲妮有點意外地發現，她心中關於時訣的天秤，好像早已偏向了欣賞的一端。

今日天氣不錯，雖然陰，但很清澈，像一層薄薄的紫紗，蒙在那張乾淨的面龐上。

他注意到她的視線，眼神移了回來，任她打量。

在這麼對視了數秒之後，他們幾乎同時開口。

「妳——」

「時訣。」

徐雲妮這一聲喚出，兩人都頓了一下，經過短暫的記憶過濾，他們都意識到，雖然她轉來有一段時日了，也與他有過私下接觸，沒事就假模假式喊兩聲班長，但這確實是她第一次叫他的名字。

時訣難得在她發言之前，就「嗯」了一聲。

徐雲妮：「我們能交個朋友嗎？」

風吹得頭頂的樹冠嘩啦作響。

頂著一張泰然自若的臉，什麼話都說得出口。

時訣緩吸一口氣，清冷空氣充斥肺腑，他的視線慢慢從她的臉，移開到天邊。

天是煙紫色的，沒有陽光，卻透得彷彿能看清九天繁星。

「班長？」

「妳差不多得了，」時訣有點麻了似的，「我雞皮疙瘩都起來了。」

「……肉麻嗎？」

徐雲妮後知後覺，指節蹭蹭下巴。

時訣在那邊念念這個詞：「朋友……」他又問她，「妳為什麼要跟我做朋友？」

徐雲妮坦誠道：「我覺得班長你非常優秀。」

時訣恍然：「這樣啊。」

他兩手插口袋，溜達到一旁。

校園圍牆中間是焊在一起的鏤空的鐵桿，他坐到半公尺多高的石欄裡，兩條長腿叉開，靠著鐵桿看著她。

恰時一陣風過，裹著透徹心扉的秋冷香，攜著她幾縷額頭和鬢邊的髮絲，黏在眼角嘴

第八章 野狐狸

角。

時訣說：「那要不要跟我交往看看？」

他這話問完，三秒後，徐雲妮才把話輸入腦子一樣，眼睛慢慢睜大。她的皮膚其實很不錯，乾爽，通透，有點霧面的質感，鼻子和嘴唇都很端正，黑漆漆的眼睛，直勾勾地盯他老半天。

他有點嫌她反應慢，右手從口袋裡抽出來，身體靠前，輕輕一搧，打在她垂在一側的右手心裡。

「問妳話呢，願不願意？」他說。

手心絲絲麻麻的，觸感從手臂一直傳導到全身，連頭皮都跟被扎了似的。他的手臂怎麼這麼長？上次吃飯的時候也是，簡簡單單就能碰到她。腦細胞已經調動了幾輪了，徐雲妮還是沒搞懂，為什麼會出現當下這種情況。

在徐雲妮尚且年輕的心緒中，總習慣為各式各樣的事件找尋邏輯起點……難道就因為她幫了他的忙？是不是有點太兒戲了？這種話對他來說簡直像喝水吃飯一樣，張口就來。

「班長，」徐雲妮對他說：「你又開始了是吧？你在開我玩笑嗎？」

時訣沒開口，平平地看著她。

靜默的視線裡，帶著點他尋常的冷淡調子。

徐雲妮忽然有些迷茫了。

茂密的樹冠下，安靜的操場角落，一個這樣近在咫尺的人物……徐雲妮心想，不論他出於什麼心情說出這些話，這可能都是個要被記住很久很久的場景。

那陣風又颳起來了。

她久久不言，時訣說：「什麼叫開玩笑，不是妳先說要做朋友嗎？」

「我的意思，」徐雲妮說：「不是那種『朋友』。」

靜了一下，時訣說：「哦，那是我誤會了，普通朋友不是隨便做？還用得著特殊問一遍。」

徐雲妮沒說話。

片刻後，時訣踢了踢地上的碎石子，驀然笑了一下，又是那種嘴角向下拉的笑容，伴隨著睨向一旁的視線。

不等徐雲妮品出他這神色的意思，他再次轉過來時，又恢復成平日裡輕描淡寫的模樣。

「這事謝謝妳了。」他說：「還有妳弟弟，也替我謝謝他。」

「好。」

他突然這麼正式道謝，徐雲妮有點不適應，跟他說：「小帥好幾次說你帥氣，還說想認識你。」

「行啊，有時間約出來一起吃個飯。還有，下次別這麼冒險了，那麼貴的錶，真的壞了

怎麼辦？」他收回腿，站起身，淺笑著說：「我可賠不起……這頁算是揭過去了嗎？徐雲妮總覺得，他好像有點不高興。

「班長，你……」

「會唱嗎？」時訣示意她手裡的東西，打斷她的思緒。

徐雲妮拿起樂譜：「不會。」

時訣隨手翻翻，徐雲妮將譜遞過去。

徐雲妮說：「簡譜我也不識，王泰林說他能教我唱，他說這曲子很簡單，一個小時就能學會。」

時訣一頁都還沒翻完，停在那，抬眼看她。

徐雲妮：「怎麼了？」

他忽然吐出一口氣，嘴角是勾著的，眼睛卻全無笑意。

「徐雲妮……」他輕聲點名。

「嗯？」

他感嘆：「真會啊。」

「什麼？」

上課鐘聲忽然響起，時訣把譜合上，還給她，同時說：「回去吧。」

「不是，班長——」

不等她說話，時訣已經邁開步伐。

兩人一起往教學大樓走。

一路上，徐雲妮叫了他幾次，他完全不理會。

直到走到班級門口，徐雲妮就差半步進教室了，時訣忽然堵在前面，看她一眼，問：

「妳幹嘛？」

徐雲妮疑惑道：「什麼幹嘛？」

時訣：「妳回我們班幹什麼？」

徐雲妮懵了：「什麼？」

時訣：「妳不是要去找王泰林學歌嗎？」

徐雲妮：？

時訣：「妳該去七班啊。」

徐雲妮：「……」

時訣淡淡道：「去啊。」

徐雲妮啞口無言。

他翻她一眼，進了教室。

她大體上知道了他發飆的根源。

第八章　野狐狸

那狹長的眼睛冷冷一睨,像極了一隻領地被冒犯的野狐狸。

第九章 班長，你愛哭嗎？

缺覺大師睡了整整一上午。

下午。

時訣上到第三節課就走了，雖然阿京已經不在了，但集訓課還沒結束。

晚上放學，徐雲妮在回家的路上收到時訣的訊息。

他轉給她七千多塊錢。

徐雲妮問：『這是什麼錢？』

他好像在忙，隔了十來分鐘才回覆。

『妳弟弟的卡。』

徐雲妮還是沒收，打算回去跟趙明櫟確認一下。

到了家，趙明櫟正在打遊戲，徐雲妮拉著趙明櫟又聊了一陣子，因為她跟時訣的談話內容跑偏了，整個事件細節只能從趙明櫟這打聽。

「妳都不知道那個阿京，」趙明櫟是一萬個看不上他，「嘖，張嘴閉嘴認識這個老闆，

第九章 班長，你愛哭嗎？

認識那個製作人的，飄到不行！昨晚讓我爽完了，哈哈！以後要是再有這種潛伏任務妳再安排給我，太有意思了！就是這課有點累，上得我渾身疼，我是真的不適合運動⋯⋯

「辛苦你了，」徐雲妮說：「時訣說有空想找你吃飯。」

「行啊！我也想認識他呢！妳別說，妳朋友他媽帥！不怪妳要幫他！」

當初，徐雲妮跟趙明櫟的說辭是，她想幫一個朋友解決點麻煩。

對於時訣本身她沒有說太多，不過，趙明櫟第一天就認出了誰是這個「朋友」。

徐雲妮沒說話，趙明櫟又說：「那個叫瑤瑤的，長得超好看，唱歌也好聽，妳讓他帶幾個舞社的妹妹唄。聲音特別空靈！就是太內向了，都說不上話，我看她很黏時訣，能讓時訣把她叫來嗎？」

趙明櫟眼睛放光，

徐雲妮說：「瑤瑤還是小孩呢。」

趙明櫟：「我也是啊！我只比她大三四歲！」

徐雲妮：「你見過她哥吧？」

趙明櫟卡住幾秒，似是回憶起了ＳＤ那位當家的大哥，又坐了回去。

「⋯⋯行吧，算了。」

正聊著，手機震了一下。

徐雲妮把趙明櫟喝完的麥片杯拿過來，說：「我再幫你弄一杯。」

徐雲妮拿著杯子去廚房，把牛奶倒到鍋裡，打開火，然後在灶臺前，拿出手機看。

時訣再次提醒她:『把錢收了。』

徐雲妮才想起來,那轉帳還沒接受呢。

她收了錢,時訣問她:『妳幹嘛呢?』

『跟小帥聊天,他答應吃飯了,他還想讓你吃飯的時候帶上瑤瑤。』

『行啊。』

徐雲妮有點驚訝。

『你哥能同意嗎?』

『不能,但騙他很容易。』

徐雲妮輕哧一聲,反問他:『班長在幹嘛呢?』

片刻,時訣傳來一張照片。

他坐在舞蹈練習室的地板上,靠著牆壁,朝前拍照。屋裡亮著暖黃的燈,從前方的鏡子能看到,他穿著黑色偏緊身的短袖,戴著一頂帽子,支起一條腿休息。帽檐擋著,看不太清眉目,他應該是剛上完課,搭在腿上的手臂有一層薄汗,身體姿態很放鬆。

『你剛上完課?』

『嗯。』

『你天天這麼上課肌肉會痠痛嗎?』

『還行。』他答完,又問一句:『妳弟痠痛了?』

第九章 班長，你愛哭嗎？

『讓他局部熱敷，如果身邊有那種瑜伽用海綿滾筒和狼牙棒，可以做個放鬆。』

『小帥很瘦，他爸一直想讓他鍛煉身體，但他有點懶，要不然卡都不該退，應該讓他繼續鍛煉。』

牛奶好了，徐雲妮倒了麥片，接著熬煮，一隻手回覆訊息。

『有一點。』

『他想來可以來，不用辦卡。』

徐雲妮一頓。

『這麼好嗎？』

『妳想來也行。』

徐雲妮再次頓了頓。

『我去幹嘛？』

『來舞社不學跳舞，妳還想幹嘛？』

『我學跳舞？』

『不喜歡嗎？』

也不是不喜歡⋯⋯

『我去上課多少錢？』她問。

手機再次震動，這次居然是則語音。

徐雲妮點開。

他的聲音明顯是在笑：『不要錢，徐雲妮，妳學成了來我面前跳一段，我還可以給妳錢。』

徐雲妮緩緩吸了口氣，放下手機，感覺剛剛貼過的臉頰隱隱發熱。

崔浩形容時訣，說他有時候有些欠打，知弟莫如兄。

不過……

徐雲妮看著煮開的麥片，又想到一點。

班長的氣，來得快，散得也快。

這點倒是讓人覺得很輕鬆。

這個懵懂而迷惑的清晨，漸漸融進了平靜的生活中。

上上課，寫寫題，考考試。

徐雲妮想把欠時訣的那頓飯補了，跟他約時間，結果好幾次都湊不到一起。時訣的集訓到了最後階段，學校舞社兩頭跑，經常不見人影，好不容易有空兩天，徐雲妮又因為合唱錄影的助手工作，午休時間經常被音樂老師叫走。

時訣說的沒錯，所謂助手完全就是打雜，尤其是徐雲妮不需要集訓，看似時間更充足，就充當了終極工具人。她要打掃庫房，還要整理樂器，把譜架什麼的都擦得乾乾淨淨，然後

第九章 班長，你愛哭嗎？

搬到學校小禮堂去。

結果搬完沒兩天，校長突發奇想，又想要在操場上弄藍天白雲國旗下，青春洋溢把歌唱。

又開始新一番折騰。

一天中午，下午第一節課鐘聲都要響了，徐雲妮才匆匆忙忙從禮堂跑回來。跑到教學大樓門口，後面一聲喊：「哎！」

徐雲妮回頭，是時訣跟吳航剛從外面回來。

三人一起往班級走。

時訣看著跑得滿頭汗的徐雲妮，說：「妳去幹什麼了？」

「去音樂教室了，」徐雲妮跑得直喘粗氣，「老師說有一批樂器要做維修保養。」

時訣打量她：「妳會維修樂器嗎？」

「不會。」

「哦，我會。」他又問，「那妳會保養樂器嗎？」

「……不會。」

「哦，我也會。」時訣笑著說：「那妳怎麼看起來比我還忙呢。」

徐雲妮斜眼看他，心說音樂老師喊你你也不來啊。

吳航在旁樂，說：「黃老師真行，就逮著新人用！」

徐雲妮說：「都是休息時間，不耽誤上課和自習，我正好學點新東西。」

他們轉進走廊，時訣從裡抽了瓶水給徐雲妮，吳航把手裡拎著的袋子拿起來，這是校門口便利商店的袋子，時訣從裡抽了瓶水給徐雲妮。

徐雲妮伸手接，他拿開點，然後又拿過來，徐雲妮再抓，又抓空了。

已經擦了一中午的徐雲妮停住腳步。

時訣嫌她有點玩不起似的，輕飄飄看她一眼，把水插到她的校服衣口袋裡。

回到座位，徐雲妮拿出涼絲絲的飲品，一口氣灌了半瓶。

第二天中午，好不容易沒事了，剛下課，劉莉就過來找她吃飯。

他們在校門口等蔣銳，碰上了時訣。

徐雲妮抬手招呼，「班長！」

時訣停住腳步。

徐雲妮問：「你是要去吃飯嗎？」

他說：「是。」

「一個人？」

「嗯。」

「要跟我們一起嗎？」

時訣靜了一下，走過來，說：「今天店裡事多，我要去幫忙。」

徐雲妮：「那可以去你家吃。」她轉頭看其他人，「去吃麵，可以嗎？」

劉莉還不知道發生了什麼，看向王泰林。王泰林屬實沒想到徐雲妮突然喊了時訣，更沒想到時訣真的這麼走過來了。

但這麼隨口一聊，又感覺挺順的。

「行啊，去唄，好久沒吃麵條了。」

陽光晴好，悠悠哉哉，等蔣銳一到，五個人一起去了常在麵館。

進了店，剛好有個空桌，劉莉一個健步衝過去，把桌占了，「快來快來！」

他們走過去，四個人都入了座，時訣站在桌邊，問他們：「你們吃什麼？」

王泰林樂了：「什麼意思？你要幫我們點餐啊？」

時訣說：「我要去幫工人裝洗碗機，你們先吃，吃什麼？」

「我要番茄牛肉麵。」徐雲妮率先發言，並推廣，「強烈推薦。」

「那我們也番茄牛肉麵吧。」王泰林拍板了，「時老闆，四碗！」

時訣點點頭就進廚房了。

新洗碗機昨天才到，今天安排上門安裝，只來了一個人，動作慢，時訣脫了校服，幫他一起拆裝。

劉莉和蔣銳悄悄回頭看他，然後轉回來湊一堆，小聲琢磨道：「有點詭異啊，怎麼叫上

徐雲妮也湊上前，問：「怎麼了？你們不想跟他一起吃飯嗎？他了？」

蔣銳補充：「就是挺突然的，之前從來沒吃過！」

「也不是，」劉莉說：「就⋯⋯」

王泰林倒是因為在校很活躍，跟他有些聯絡，但也稱不上很熟。學校有活動一起參加，但也沒有過多交集。別說吃飯了，上學兩年多，他們跟時訣說話次數屈指可數，他們不是同個班的，最多是

徐雲妮問：「你們叫過他嗎？」

「⋯⋯肯定沒啊。」

「沒叫怎麼一起吃？」

徐雲妮硬說，是這麼個道理。

劉莉朝王泰林揚揚下巴：「王哥，你把譜帶出來了？準備在這教啊？」

徐雲妮撕衛生紙的手一頓，餘光稍微往廚房方向動了動。

「啊，」王泰林把樂譜放到桌上，問徐雲妮，「妳校歌到底還學不學了？馬上就要錄影了，沒幾天了。」

「這幾天太忙了，我在想要不⋯⋯」

王泰林敲敲桌子：「找什麼理由，叫師父！」

靜了靜，徐雲妮叫了一聲。

劉莉評價說：「像在招呼計程車。」

王泰林不滿道：「語氣不對，重叫。」

徐雲妮：「王師父。」

蔣銳哈哈兩聲，說：「這樣像叫修冷氣的。」

王泰林：「妳誠心的是吧？」

徐雲妮：「肯定誠心的啊。」

王泰林發出危險的一聲：「嗯——？」

徐雲妮馬上說：「我的意思是，我是誠心學的。」

他們這桌離廚房很近，說話聲裡面都能聽見，吳月祁對他說：「你先跟你同學吃飯，吃完再弄。」

時訣剛跟安裝工人把洗碗機位置調整好，吳月祁聽著他們在外面拌嘴，笑了一下。

時訣洗洗手，端了兩碗做好的麵出去，放在桌上。

徐雲妮正在那哄不滿的王泰林，「別生氣，王老師，我叫王老師總行了吧？」

桌子是四人位的，兩男兩女各一邊。時訣拉來旁邊一桌，拼在一起，他坐在單獨那桌，王泰林身邊。

王泰林拿手裡的譜，隔桌敲徐雲妮，說：「逆徒！」

徐雲妮往後躲：「別動手啊。」

蔣銳指著那兩碗麵，問：「誰要啊？」

徐雲妮馬上示意他給王泰林，王泰林不要，說：「都什麼時候了，妳這個樣子怎麼吃得下飯的！」

他專心制定教學計畫，老師沒吃，學生當然也不能吃，徐雲妮就跟蔣銳說：「你們先吃吧。」

蔣銳和劉莉就一人分了一碗。

王泰林問：「妳歌詞背下來沒？」

徐雲妮說：「倒背如流，就是沒記住調子。」

「哦，調啊，先跟妳說下基本的吧。」王泰林拿著譜隨便翻翻，「我們的校歌啊，調是普通C大，知道什麼叫C大嗎？」

徐雲妮搖頭。

王泰林：「不重要，妳──」

「⋯⋯欸？」對面的劉莉也聽著課，面露遲疑，「我們校歌⋯⋯」

王泰林：「怎麼了？」

劉莉求證地問蔣銳：「我們校歌的調是C大嗎？」

蔣銳忙著吃麵，擺手道：「不知道，我樂理八百年前就放棄了。」

「肯定是啊，」王泰林把譜轉過來給她看，「不升不降，它不是C大是什麼？」

劉莉說：「有可能是A小呢？」

「啊？」王泰林眉毛一豎，劉莉立刻反應過來了，這不是拆臺嘛。她馬上說：「哦，不是，我記錯了。」

「妳別，」王泰林還挺較真，「說明白。」

「我也不確定⋯⋯」劉莉說著說著，眼神就往時訣那邊瞄，馬上又挪開了。時訣坐在那，一直很安靜。他疊著腿，手肘拄在桌面上，撐著下頷，只露出一雙下垂的眼睛，平平常常斜視著這邊。

王泰林頓了頓，問時訣：「什麼調？你知道嗎？」

時訣一動也不動：「你說的是調性。」他朝劉莉輕揚下頭，「調性就是A小。」

「啊對！」劉莉也反應過來了，「是調性，哎，這堆破概念總記錯！」

一陣尷尬的安靜。

「我⋯⋯」徐雲妮先開口了，「我好像聽懂了。」

王泰林瞪著眼睛：「妳能聽懂個屁！」

「真懂了，王老師，」徐雲妮認真地說：「您一句重點錯了兩個地方。」

時訣舔舔嘴角，看向一旁。

蔣銳正吃麵呢，聽了這話實在忍不住，一口噴了出來！

結果，坐在對面的徐雲妮就遭了大殃。

她皺著臉往後一縮，雙下巴都擠出來了。

「咳！咳咳……」蔣銳嗆到了，咳嗽不斷，劉莉嫌棄地捂住自己的碗，大罵道：「靠！你朝旁邊咳啊！」蔣銳朝旁邊彎著腰咳嗽，徐雲妮已經抽出了衛生紙，看他太慘，又抽幾張，先遞過去給他，說：「你慢點，別嗆氣管裡了。」

蔣銳看著她：「……謝，謝謝。」

「哈哈！」王泰林看著徐雲妮的慘樣，幸災樂禍道，「該！這就是妳不尊師重道的下場！」

徐雲妮說：「王哥，有點小心眼了啊。」

王泰林把樂譜往桌上一放，大刺刺道：「妳不用管它什麼調，不重要！會唱就行！」

劉莉興奮地說：「對，妳直接讓王哥唱吧。」

徐雲妮非常捧場：「好，王老師，展示一次吧。」

王泰林哼哼兩聲，把譜拿回來了。

一個運氣——又滯住了。

餘光裡，有道身影實在是影響他。

其實時訣只是安靜坐在那，姿勢都沒變過，完全談不上影響。

第九章 班長，你愛哭嗎？

但王泰林就是突然彆扭，他感覺自己現在狀態不是最佳，也沒開嗓，直接唱歌，有可能發揮不好呢。

莫名其妙，他在時訣面前，還挺有包袱的。

這個時候，吳月祁救了他，她探出頭喊他們取餐，王泰林瞬間把譜放下了，淡淡道：

「先吃飯吧，餓了。」

香噴噴的番茄牛肉麵擺在面前，徐雲妮開始加料。

王泰林看著，說：「妳怎麼這麼愛吃醋？」

「對，」徐雲妮一碗麵差點倒了半壺醋進去，「吃麵條我就離不開醋和香菜。」

蔣銳附和道：「我也愛吃這兩樣！」

他們吃著麵，在那閒聊，聊到考試的事，徐雲妮問：「你們藝術考試什麼時候開始？」

劉莉說：「是十二月，那時候妳可能都轉走了吧。」

徐雲妮說：「有可能，我也不確定。」

時訣正在往麵裡添辣椒油，聞言手頓了頓，看過來，「轉走？」

劉莉說：「她是轉錯學校才來華都的，你不知道嗎？」

時訣看著徐雲妮，「我不知道啊。」

徐雲妮也是一愣，想起來好像還真沒跟他提過，「沒來得及跟你說。」

於是她把轉學的烏龍事件又講一遍。

「華衡?」時訣聽完,評價說:「這也能轉錯?」

王泰林:「是吧!我們當時知道的時候也這麼說的。」

「轉錯了也挺好,」徐雲妮說:「不錯也無法認識你們。」

「哎呀!」王泰林聽得受不了,「噁心!妳太噁心了!」

「幹嘛啊,王老師,我是認真的,」徐雲妮說:「就算我轉走了,我們也要常聯絡。」

一聊到學校和考試,劉莉和蔣銳就有點上火,王泰林是早早放棄了,也就無所謂了。

時訣忽然問了句:「你們都要考哪啊?」

蔣銳說:「我只要能上學哪都行。」

劉莉說:「我媽想讓我考師範類,但我感覺有點難。」

王泰林問時訣:「你要參加考試嗎?還是直接簽公司了?」

「考啊。」時訣說了個學校,眾人都挺驚訝,居然是本地一所專業的音樂學院。大家對這學校都熟悉,因為離這不遠,從華都坐地鐵差不多六七站就到了。

王泰林:「你專業能力考這學校很簡單啊,不再考好點?」

時訣:「我普通科目就那樣了,高不了。」

王泰林問:「這學校要多少分啊?」

時訣說:「四百一十左右吧。」

「我靠!」眾人震驚,「這麼高!」

徐雲妮：？

時訣笑了笑，餘光看到愣神的徐雲妮，那笑意更濃了。

說到普通科目，大家不可避免地把注意力放到徐雲妮身上，劉莉問她：「妳要考哪啊？是我們這邊嗎？」

徐雲妮說了個學校，位於中西部地區。

王泰林說：「啊？那有點遠啊。」

徐雲妮「嗯」了一聲。

其實，還不夠遠，她真正想去的地方比這所學校的所在地還要更遠一點。

那是徐志坤的老家，他從出來當兵開始就沒回去過。徐志坤以前跟徐雲妮講過自己小時候的事，次數不多，但徐雲妮一直記著，像是個深埋在心底的念想一樣。

只是要直接去他老家的學校，實在要虧不少分，徐雲妮暫時選了旁邊的省份。

王泰林奇怪道：「去那麼遠幹嘛？我們這的好學校比那邊多多了？」

徐雲妮沒有解釋，只是說：「連一次模擬考試都沒考呢，現在說有點太早了。」

他們一邊說一邊吃，很快麵碗就見底了，時訣要留下幫吳月祁打理，徐雲妮和王泰林他們先走了。

幾個人已經出店了，徐雲妮走得稍微慢一點，時訣挽著袖子準備收拾桌子，徐雲妮叫他：「班長。」

時訣看過來：「嗯？」

徐雲妮說：「我剛才在紙簍裡看到有吃光的止痛藥藥盒，還有拆掉的膏藥包裝。」

「什麼？」時訣一頓，要過去看，徐雲妮拉住他，提醒道：「阿姨脾氣有點倔，你注意方式。」

說完她就走了。

時訣去翻了剛才徐雲妮座位旁的紙簍，果然發現她說的東西。他直接撿出來進了廚房，吳月祁正在擀麵，時訣把這兩樣東西拿到她面前。

吳月祁登時大怒，「你幹什麼！髒不髒！快拿出去！」

吳月祁潔癖入骨，推著時訣往旁邊去，離砧板遠一點。

時訣問她：「妳不舒服為什麼不跟我說？」

吳月祁嘴硬道：「這不是我的！」

「哦，」時訣點頭，「對，是我的，我不舒服，下午妳陪我去趟醫院。」

吳月祁：「不去。」

時訣拿出手機：「我來掛號，妳先休息一下，下午關店。」

吳月祁：「你別掛號，我不去！你快去上學吧！」

時訣看著她，忽然笑了，抱起手臂往旁邊案檯上斜斜一靠，說：「行啊，那妳不去，我也不去了。」

吳月祁看他：「你不去哪？」

「哪都不去啊，」時訣淡淡道：「我們就在這耗著吧，我腰疼，要休息。」

「你⋯⋯」吳月祁一陣急火上來，突然咳起來，她連咳了幾下，似是觸到寸勁，臉一下子紅了，往後跟蹌兩步。

時訣看著，緩緩直起身。

他一手拿來凳子，一手來扶吳月祁。

吳月祁沒理他，自己抓著案檯，壓住胸口勉強喘勻氣，也沒力氣喊了。

「你不想氣死我，就趕緊去上學。」

「媽⋯⋯」

時訣站在那，手機震了兩下。

他拿起一看，是崔浩傳的訊息，讓他下午早點到。

時訣回覆他，『下午可能有事。』

崔浩說：『那你忙完了過來，等你。』

時訣深吸一口氣，咬咬牙，放下手機。

吳月祁指著門口，催促他：「把垃圾一起帶出去。」

徐雲妮一夥人走在林蔭小路上。

大家吃飽喝足，王泰林打了一路嗝，拍拍肚皮，說：「他家牛肉麵真不錯。」

徐雲妮：「那下次再來啊。」

蔣銳附和：「確實。」

「我看行，」劉莉邊走邊說：「沒想到啊，時訣還挺親民。」

隔了兩秒，劉莉又說：「近距離看更帥了，都沒死角呢。」

王泰林先是撇撇嘴，然後瞄她一眼，半開玩笑道：「妳唱歌又不行，就別做夢了。」

「說什麼呢，」劉莉反駁道：「我又沒往那方面想。」

徐雲妮看過來，問：「什麼意思？跟唱歌有什麼關係？」

「哦，這裡有典故，妳還不知道吧。」王泰林跟她解釋，「以前跟時訣走得近的女生，無一例外，聲樂都超好，都是那種細膩溫柔型的。」

「啊⋯⋯」

蔣銳說：「時訣太強了，你們還記得我們華都校花嗎？當年可是傳說中的冷美人啊，時訣入校之後，只是一起參加了⋯⋯兩次活動？就到身邊去了。」

徐雲妮有些好奇，問：「校花是誰？哪班的？」

王泰林說：「不是我們這屆的，是個學姐，中間就不念了，跟公司簽約了，後來印象裡是搞了個畢業證書，反正沒在我們這考試。」

蔣銳回憶說：「她好像就是跟時訣掰了後不來學校了。」

「是的嘛。」王泰林拉著長調,「嘴裡不說,肯定傷心的啦,她朋友私下都罵,說時訣就是想拿她試歌,臭男人冷酷得很,哈!」他再次瞄了劉莉一眼,「妳肯定兜不住的,別想了。」

「我想什麼呀!」劉莉有點急了,「我都說了我根本沒那意思,哎呀王哥你有時候真煩人!」

王泰林笑了兩聲。

他們順著林蔭小道往回散步,討論起下午測驗的問題。蔣銳等差數列這輩子沒學會過,徐雲妮問什麼數列。

「還有什麼數列?」

「有啊。」

「聽不懂啊,基礎不行,現在補還來得及嗎?」

「來得及,都有技巧的。」徐雲妮說:「有不會的可以來三班找我,讓我發揮一下光和熱。」

下午。

時訣趕在考試前最後一分鐘回來了。

一場小測驗結束,華老闆讓後排同學收試卷。

徐雲妮拿著考卷往前走。

徐雲妮收到時訣那排，轉頭瞄了他的試卷一眼，時訣斜眼看她，涼涼道：「能不能講究點啊？」

她看到空著的兩道大題，抿抿嘴，繼續往前收。

轉學到現在，有過一些考試，徐雲妮對班長的成績稍微有些瞭解了，他偏科嚴重，數學純送分，但他可能有語言方面的天賦，國文和英語分數都很高，幾乎跟她差不多的程度，其他幾科也爛，但湊個四百五十不成問題。

聽他說他目標學校只要四百一十，怪不得高三念得如此悠閒。

收完試卷，徐雲妮回到自己座位上。

斜前方，時訣坐在那，一隻手放在桌面上，什麼也沒幹。吳航跟他說了幾句話，他也沒有回應。

徐雲妮感覺他有點心事，大概跟吳月祁有關。

但沒來得及問，下節課的測驗又開始了。

連考兩節課，終於結束了，在班裡一片哀號中，華老闆帶著試卷離開了。

下課時間，同學們在教室裡聊天，徐雲妮想去問問時訣吳月祁的事，結果助手小組的人找來了。

王澤在門口喊人：「徐雲妮在嗎？」

第九章 班長，你愛哭嗎？

「在。」徐雲妮應了一聲，喝了口水，準備過去。

時訣一腳踩在隔壁桌子旁，徐雲妮的路被攔住了。

徐雲妮看看他，他朝門口的人揚起下巴，「有事嗎？」

王澤說：「……啊，叫她去趟音樂教室。」

時訣：「幹什麼？」

王澤說：「可能需要……弄一下演出樂器。」

時訣：「換個人。」

王澤：「哦。」然後就走了。

剛考完試，又是下課期間，教室走廊都亂糟糟的，加上時訣說話聲音不大，對話過程很快，沒引起他人的注意。

時訣收回腿，拎著書包站起來，似乎要走了。

他看了徐雲妮一眼。

嗯，大人情緒不佳，整個人看起來煩煩的。

時訣直接往外走。

徐雲妮也跟了出去。

出了教室，徐雲妮問他：「你要去舞社了嗎？」

時訣「嗯」了一聲，又說：「下次再叫妳別去了，王澤那夥人有工夫去打球沒工夫去打掃是吧？」

王澤就是剛剛來叫她的男生，是四班的音樂小老師，也是華都學生樂團的小號手。

徐雲妮想說，其實人家也有打掃，他們通常都是四五個人一起去的，今天下午這事是提前約好的。

但這話不適合現在說，太不給面子了。

徐雲妮想了想，問：「班長，那藥是你媽媽用的嗎？」

「我用的。」

「……啊？」

時訣哼笑一聲，徐雲妮明白了，說：「那你想辦法好好勸一勸，別急。」

不知不覺已經走到一樓門口了，時訣說：「明天再說吧，我走了。」

匆匆離去。

徐雲妮感覺他這學生當得比社畜都要忙。

目送他離開後，徐雲妮再度前往小禮堂。

她到的時候，王澤和另外幾個同學剛好裝水回來，準備擦地，徐雲妮過去幫忙，王澤一愣，說：「時訣剛才不是……」

徐雲妮說：「班長找我有點別的事，忙完了就讓我過來了。」

第九章 班長，你愛哭嗎？

「哦哦，剛才我們還說，以為他生氣了，莫名其妙的。」

「沒有，班裡最近事情多。哎，我們是不是過兩天就要錄影了？」

「對，都調整完了，校長在等晴天。」

「一定要在操場錄嗎？」

「他覺得好看嘛，在我們校長心裡，好看比什麼都重要！」

「啊……」

時訣趕到ＳＤ的時候，崔浩正在跟幾個老師討論什麼，人到得很齊。

時訣換了衣服過去，崔浩跟他把事情講了一遍。

是樂陽那邊給的消息，說有平臺明年春夏要做個舞蹈類綜藝，叫《舞動青春》，專門拍少男少女的成長故事，年齡卡死二十二歲以下，男女不限，明年年初海選。樂陽深度參與了節目製作，準備送去不少人，他們想跟ＳＤ合作一些作品。

他們談完正事，崔浩又說：「林妍還惦記你呢，想讓你也去，最好順便跟他們簽了。」

時訣沒打算去，他跟崔浩說：「你讓瑤瑤去吧。」

崔浩：「啊？她？別扯了，她肯定不行。」

時訣：「你讓她試試，她有實力，你再這麼管下去，她的自信都被你壓沒了。」

崔浩不滿這說法：「我什麼時候管她了！」

時訣又翻了幾遍資料，說：「這節目是偏教育類的，這個總顧問是舞協的教授，我知道她，很專業，你讓瑤瑤去試試，對她會有幫助的。」

「這麼好嗎？」崔浩猶豫之下，往後看看，「妳想去嗎？」

時訣轉頭，看見崔瑤站在後面聽他們說話。她不看崔浩，低著頭說：「……什麼去不去，你不是說我肯定不行嗎？」

崔浩瞪眼：「妳還跟我鬧脾氣了？」

兄妹倆又開始吵，時訣頭很疼，自己上了樓。

他躺在沙發上休息，感覺自己就瞇了十來分鐘，結果一睜眼集訓課都要開始了，他稍微熱了下身，又灌了一瓶運動飲料，下樓上課。

集訓課下課後，接著跟崔浩研究與樂陽合作的事。

一直到晚上九點多，崔浩看他累得要死，說：「你就住在這吧，明天請個假，別去學校了。」

時訣搖頭，換了衣服回家了。

到家的時候屋裡一片漆黑，他來到吳月祁臥室門口，悄悄開門，看她已經睡下，回到自己房間，衣服一脫，一頭栽倒在床上。

其實他很想洗個澡，但他實在懶得動了。

手機震了幾下，他緩緩把手機拿到面前，是吳航傳來的訊息，先是跟他說了點下午班導

第九章　班長，你愛哭嗎？

「對了，你走之後徐雲妮又去禮堂幹活啦！她幹活有癮啊！後來跟王澤一起回來的。」

時訣看著螢幕，沒回覆，撐起身體，手機被他丟到一旁，滾了兩圈磕在牆邊。

他起身去洗澡。

翌日清晨。

天朗氣清，空氣不錯。

徐雲妮照常來校上早自習，她每天六點十分出家門，到校是六點半到六點四十左右。華師安排的事情，然後又說了一句——

都的早自習一直很安靜，通常要七點多才有其他同學來。

她正在做一份數學試卷，聽見門口有動靜，有人敲了敲門。

徐雲妮一抬頭，竟然是蔣銳。

她驚訝道：「你怎麼來了？」

蔣銳說：「妳不是說有不會的題目可以來問妳嗎？」

「當然可以。」徐雲妮疑惑之下還挺驚喜，「你有什麼不會的，來吧。先聲明啊，我也不一定會。」

蔣銳邊走邊說：「妳成績那麼好，肯定會啊。」

徐雲妮：「哎，別給我戴高帽，你拿來我看看。」

蔣銳就過去了，坐到她隔壁桌，拿出一本習作，畫出一題。

徐雲妮看了一眼，拿計算紙講解起來。

「……這題需要用錯位相減，主要考計算能力……」她筆速飛快，按照常規方法推導了一遍，然後在旁邊另開一行，「錯位相減還有簡單的方法，能推出恒等式，你看這裡，通項公式這裡的這樣推下來，$A=a/q-1$、$B=b-A/q-1$、$C=-B$，但是這個有需要注意的地方，$n-1$……」

時訣走到後門時，就看見這樣一幅景象。

徐雲妮一邊在計算紙上寫東西，一邊講著什麼，旁邊的蔣銳的眼睛不時往她手上瞄，不時往她臉上看。

蔣銳先一步感覺到後門視線，回頭一看──

「靠！嚇我一跳……」

徐雲妮也回過頭，看到了時訣。

「班長？」她更驚訝了，「你怎麼這個時間來了？」

門外的時訣一言不發，走向前面。

他從正門進來。

他這單肩背包，兩手插口袋朝這邊走來的鏡頭，恍惚之間讓徐雲妮產生了點昨日重現的幻視感。

第九章　班長，你愛哭嗎？

姿勢差不多，神色也差不多。

時訣走到這邊，瞄了桌面一眼。

徐雲妮說：「蔣銳有不會的題目，我幫他看看。」

時訣看著習作，抽出一隻手，伸出食指，隨便那麼像模像樣地寫了幾題——基本全新，一筆沒動，只有他正在問的這頁像模像樣地往上一撥，帶著前面幾頁紙嘩啦啦落下——

時訣像沒看到一樣，讚揚道：「太上進了。」然後就回了自己座位。

蔣銳耳根發燙，心裡怪時訣手太欠。

徐雲妮的角度並沒有看到那些空白頁，她又跟蔣銳講了兩遍，還把公式都抄好給他。

「懂了嗎？」

自從時訣進教室後，蔣銳就有點坐立難安，說：「好、好像懂了，我拿回去消化消化……啊對了，昨晚王哥說今天午休教妳校歌，跟妳說了沒？」

徐雲妮說：「說了，昨晚不是群組裡通知的嗎？」

蔣銳：「行，那中午見了。」

蔣銳走了，教室重歸寧靜。

徐雲妮看著斜前方的背影。

「班長。」

沒動靜。

「⋯⋯班長？」

明明教室裡就兩個人，時訣聽了動靜，還左右看看，最後回過頭，淡淡道：「叫我啊？」

不然呢？

「你今天怎麼這麼早來學校？」她問。

時訣好像沒聽懂似的，歪過頭，「哦，不好意思，沒打聽清楚，七點前進教室要跟妳買門票是吧？」

時訣的聲音很好聽，吐字清晰，發聲標準，再配上他的語氣，使得他不管說什麼，都顯得特別理直氣壯。

時訣一頓，說：「不是，就是太久沒在早自習看見你，有點不習慣。」

時訣：「太久？妳轉來一共有兩個月嗎？真的『太久』了。」

有一句嗆一句。

徐雲妮想讓他好好說話，但又覺得跟他提這種意見，完全白費口舌。

徐雲妮：「你沒休息好嗎？」

時訣：「妳看呢？」

他很顯然睡眠不足，慵慵懶懶，更加凸顯了陰陽怪氣。

徐雲妮安靜三秒，聲音也淡了，說：「那你休息吧。」

時訣看著她，沒什麼表示，就轉過去了。

第九章 班長，你愛哭嗎？

徐雲妮低頭寫試卷，一題讀了三遍還沒想法，直接翻開答案看。

不知過了多久，她再次瞄向斜前方，今天天氣還不錯，陽光明媚，灑在他的背影上，卻泛著點清冷似的。

他一隻手拄著臉，還是那麼斜歪著坐著，肩膀一高一低，帶著校服後背一條長長的褶皺，耳朵裡插著耳機，不知道在聽什麼。

徐雲妮視線落回試卷，接著往下寫題目。

教室裡異常安靜。

徐雲妮寫完一題，再次抬起，就這麼看了幾秒後，她放下筆，起身走過去，側身坐在訣身前的座位。

「班長，心情不好啊？」

他沒說話。

徐雲妮往他面前湊了湊，伸手摘了他一支耳機，「別不理人啊。」

他終於挑眼看來。

徐雲妮說：「昨天的藥是阿姨用的吧，你是不是跟她談得不順？」

時訣看了她片刻，終於稍直起身子。

徐雲妮問他：「你媽有去醫院嗎？」

「沒。」

「為什麼不去啊?」

「妳問我?」他摘了另一支耳機丟桌上,「說今天關店歇一天就好了。」

「就歇一天可以嗎?你要不要好好說一說,她總歸會聽你的。」

「我費那力氣幹什麼?」時訣直起身後,順勢往椅背上一靠,淡淡道:「都嫌我多事,那就隨妳們唄。」

「……都?……們?」

徐雲妮終於明白,他一早的氣從哪來了,她試著說:「……是昨天王澤的事嗎?那是之前就說好的。」

他不鹹不淡「啊」了一聲。

徐雲妮:「但還是謝謝你幫我。」

他輕聲笑著:「不客氣。」

徐雲妮:「嗯?」

完全沒有消氣的跡象,徐雲妮看著他,又說:「不過班長……」

徐雲妮恭維道:「你都離開學校了,還對校內的事盡在掌握,真是什麼都瞞不住你。」

這鎮定自若的表現讓時訣的眉毛往上抬了幾毫米。

臉皮是真的有夠厚。

徐雲妮接著說:「班長,我的案子先放放,還是阿姨的事比較重要,你應該想辦法讓她

第九章 班長，你愛哭嗎？

「去醫院檢查一下，病不能拖。」

時訣頓了頓，視線落到一旁。

顯然，他也知道這是正事，這事讓他很煩躁，徐雲妮感覺如果不是在學校，他肯定馬上就要掏菸了。

徐雲妮幫他分析說：「阿姨脾氣很倔，不愛麻煩人，不過這種人通常責任心特別強，吃軟不吃硬，你抓著這一點來試試？」

時訣：「比如？」

徐雲妮看著他的臉龐，思索片刻，問：「班長，你愛哭嗎？」

這問題把時訣問沉默了。

「什麼？」

「你愛哭嗎？」徐雲妮又問一遍。

時訣見她是認真問的，兩條手臂墊在桌面上，緩緩靠近，輕聲回答：「不，我愛笑，妳看不出來嗎？」

他離得近，近得氣息都落在她的臉上。

陽光照耀著教室，那一雙淺瞳映著她的樣子，空氣裡細微的灰塵像是金粉一樣，懸浮在空中。

能不能看出他愛笑？

其實是能看出來的。

徐雲妮見過時班長臉上各種笑，他面部肌肉應該鍛煉得很好，有比常人更多的細微表情，她看過他的淺笑、大笑、冷笑、嗤笑、皮笑肉不笑，雖然不是所有的笑都代表了開心，但總歸表明了處事的態度。

時訣神色不變，還是那麼看著她。

徐雲妮品出了濃濃的質疑。

徐雲妮說：「班長，你哭一次試試呢？平時不常哭的人哭了，很可能會有效果的。」

時訣：「我發揮什麼？」

她肯定會問你為什麼，然後你就自己發揮一下。」

「你試試看，」徐雲妮勸說道：「不用歇斯底里，就一個人默默哭，但要讓你媽發現，

時訣：「示弱唄，阿姨的性格一看就很吃這一套。」

時訣：「示弱什麼？」

徐雲妮頓了頓，緩聲問：「閣下是沒有弱點嗎？」

時訣笑著，一手拄起臉，還擠出點肉來。

「那就編吧。」徐雲妮思索幾秒，開始幫他造劇本，「你就說你……最近做夢，夢到了不好的事，讓你很沒有安全感。你說你希望生活能安定一點，什麼都沒有她的健康在你心裡更重要，表達得越直越好，煽煽情還不會嗎？」

第九章 班長，你愛哭嗎？

時訣也不應聲，只是聽著。

教學大樓裡很安靜，靜得好像只有她在說話。

她坐在他前面的位子，朝著走道，很放鬆，不像平時寫試卷時坐得那麼正，翹著二郎腿，右手肘搭在他的桌子上，手掌張開，在講話的過程中，還會配合著做點輕微的手勢。

「……大概就這套話吧，你說的時候稍微控制著，落下那麼一兩滴淚水。」她兩指一掐，拿捏了一個孔雀舞的造型，「你媽應該是扛不住的。」

時訣說：「這就是妳想的招。」

「嗯。」

「一哭二鬧三上吊？」

她手掌併攏，朝他豎起，亮出清晰乾淨的掌紋。

「不，」徐雲妮糾正他，「不鬧不上吊，只哭，以退為進，以柔克剛。」

時訣哼笑：「一套一套的。」

徐雲妮放下手：「這些都是跟我媽學的，我爸當年犯倔，她就是這麼對付他的。」

時訣：「能用幾次啊？」

「以前百試百靈。」徐雲妮說：「現在想用也用不了了，我爸生病走了。」

時訣沒說話。

徐雲妮：「所以有小毛病的時候一定要趕快看，別拉不下來臉，有招就用，免得以後後

悔。」

靜了靜，時訣說：「哭不出來怎麼辦？」

「你等下。」徐雲妮起身，轉身翻書包，找出一瓶眼藥水放到桌子上，「借你。」

時訣拿著眼藥水瓶看了看。

這時，教室外傳來腳步聲，又有其他同學來校了。

他們就沒有繼續聊下去。

上了一上午課，中午的時候，劉莉來班裡找徐雲妮。

徐雲妮臨走前還幫時訣打氣：「班長，祝你成功。」

時訣甚是無語。

但還是揣著那瓶眼藥水回家了。

進了家門，屋裡很安靜，時訣換了鞋，來到吳月祁臥室門口，推開門。

吳月祁正在睡覺，腰上綁著理療的熱敷帶，時間已經到了，正在空轉。時訣過去，把儀器關了，拿起一張薄被幫吳月祁蓋上。

動作很輕，但吳月祁還是醒了。

「……嗯？你回來了？」她皺著眉，好像還有點不舒服，但堅持要起來，「……沒吃飯吧？」

第九章　班長，你愛哭嗎？

「吃完了。」時訣說：「我就是回來看看，妳接著睡吧。」

他安頓好吳月祁，出了房間。

廚房內，時訣燒開一小鍋水，然後翻了包泡麵拆開煮等待煮開的時候，時訣從口袋裡掏出眼藥水，兩指捏著，斜靠在案桌旁。

他看了一陣子，泡麵咕嘟咕嘟地冒著聲。

他把眼藥水擰開，仰頭滴了兩滴。

眨眨眼，藥水往下流。

然後換另一隻眼睛，又滴了幾滴，再眨眨眼。

說真的，他有點不清楚自己在幹嘛。

⋯⋯這夠嗎？

時訣把手機拿出來，打開前置鏡頭。

完全不像。

他又加了點量。

太多了，差點流到嘴裡。

他拿來毛巾擦擦。

然後再次看向鏡頭。

看久了，像是不認識自己一樣。

……哭還需要什麼？

抽搐？嗚咽？

時訣準備試試，他吸了口氣，胸腔剛剛撐起，忽然發現旁邊好像有人。他一轉頭，看見吳月祁一手扶著門框，正看著這邊。

此刻的時訣，一手拿著眼藥水，一手拿著手機，肩膀上搭著毛巾，滿臉都是藥水，恰好吸滿，剛剛屏住。

他看吳月祁來了，下意識想要裝一下，眼瞼稍緊緊吳月祁看著他這造型，匪夷所思道：「你幹什麼呢？」

她一句話，時訣突然就憋不住了，「噗嗤」一聲破了功，他笑得口水差點沒噴出來，靠著流理檯蹲下，用手擋住臉。

吳月祁又問：「你幹什麼呢。」

時訣笑得幾個大喘氣，用肩上的毛巾把臉上擦乾，說：「……沒事，」聲音也輕微地顫抖著，「……我準備裝哭。」

「什麼？」吳月祁以為自己聽錯了，皺眉道：「你準備什麼？」

「裝哭。」

吳月祁沒聽懂：「為什麼要裝哭？」

時訣：「騙妳去醫院。」說完，忍不住，又笑了幾聲。

吳月祁反應了十幾秒，「裝哭騙我去醫院？」

「對，」時訣撥撥頭髮，「一個同學幫我想的招，說硬來不行，哭一下，妳看見了肯定受不了。」

吳月祁聽得哭笑不得，不知道該說什麼。她看著蹲靠在櫥櫃旁的時訣，一陣無奈後，心中又有觸動，說：「最近降溫了，一降溫就容易這樣，多少年了，根本沒事。」

時訣：「嗯。」

他疊好了毛巾，站起身，把煮好的泡麵倒到碗中。

吳月祁皺眉道：「你不是說你吃過了嗎？」

時訣：「又餓了唄。」

午間，小小的房子裡安寧又沉寂，時訣的背影落在吳月祁眼中，有那麼一瞬恍惚。早年那個清瘦俊雋的小孩，不知不覺間已經長得如此高大挺拔了。她想到他命薄的父親，想到他漂泊不定的童年，心中酸脹，終於說：「你要是實在不放心，下週我們找一天去趟醫院，隨便開點藥。」

時訣：「行啊。」

吳月祁：「冰箱裡有醬好的牛肉。」

時訣：「妳回去休息吧，我自己切。」

吳月祁拿著筷子攪和麵湯，回頭看看她，說：「行啊。」

吳月祁回身往外走，又接了一句：「還有泡菜，蘿蔔豇豆都醃好了，你要吃就撈點。」

然後就回房間了。

時訣把麵碗放到桌上，去冰箱拿了牛肉和泡菜，切了一些，一起吃了。

吃飽喝足，睏意襲來，看看時間，還能休息半個小時再回校。

他回到臥室，像扇倒了的木門，啪唧一下拍進床裡。

床單被子都是最熟悉的氣味，一聞眼皮都抬不起來了，他怕睡過了，拿出手機設了鬧鐘。

有點刺眼，才發現忘了拉窗簾。

他閉上眼睛，明明睏得要死，可又睡不著，神經衰弱似的，頭皮一跳一跳。他感覺身側有點硌，從口袋裡摸出一樣東西，正是那瓶眼藥水。

瓶身通體透明，裡面的藥水是玫瑰色的，剛剛用過，氣味也是玫瑰香的，已經被他擠去一半了。

瓶子對著窗外的方向，折出熒熒閃光。

他看了一下，最後手放下，呼出口氣，把臉緩緩埋進床單裡。

此時此刻，徐雲妮正在花架下面學歌。

架子是紫藤花的架子，但花期過了，剩下枝枝蔓蔓，攀覆著刷著白漆的鏤空走廊，就位於校園東北角。

「妳唱歌太難聽了。」王泰林直白地說：「五音不全成這樣的真少見啊！」

徐雲妮：「我唱歌有你說話難聽嗎？王老師。」

王泰林笑著說：「我再唱最後一遍啊。」

王老師又開始示範了。

其實徐雲妮感覺，王泰林就是想要找個理由一展歌喉。

時訣進到校園的時候，起初並沒有看到角落裡的練歌小分隊。

他最先發現誰了呢？

丁可萌。

丁可萌同學藏在一棵樹後面，手裡拿著相機，偷偷摸摸對著一個方向。

時訣往那邊看看，就看到了徐雲妮他們，他沒過去，而是走到丁可萌身後。

丁可萌正在檢查照片呢，頭頂暗了，她一仰頭，「⋯⋯欸？」

時訣從她手裡拿過相機。

丁可萌主動坦白說：「那個⋯⋯我拍拍王泰林，是他要我拍的，但他擺拍太僵了，我只能試著抓拍了。」

時訣翻了幾下，翻到一張停下了，那是徐雲妮的照片，她拿著樂譜，微垂著頭，旁邊劉莉湊過來跟她講著什麼。背後的天藍得像畫一樣。

「妳怎麼還拍她？」

「誰?」丁可萌探探頭,「啊,徐雲妮啊,順手拍的。」

紫藤花架下,蔣銳先發現時訣他們,他戳戳王泰林,王泰林朝這邊喊。

「哎!」

時訣拿著相機走過來。丁可萌在後面小心翼翼跟著。

王泰林看見相機,說:「丁可萌,我的組圖進展怎麼樣了?」

丁可萌說:「已經拍了不少了……」

時訣把相機遞過去,王泰林拿來檢查,「嘿,妳還拍徐雲妮。」

徐雲妮聽了,也湊過去看。

丁可萌問徐雲妮:「妳喜歡嗎?要不然我也幫妳做張卡,我最近升級卡面了,雙面鑽閃珠光覆亮膜,妳算趕上了。」

王泰林:「那我再看看我的……」他往後翻,挑選自己的照片。

時訣沒繼續待著,往教學大樓走,徐雲妮看見,與劉莉打了個招呼也跟了過去。

「班長,怎麼樣?」她問。

「什麼怎麼樣?」

「你媽那邊,你按計劃行事了嗎?」

「沒有。」

「啊?」

「又勸了一下，她就答應了。」他把眼藥水拿出來還給她，徐雲妮接過一看，問道：「怎麼少了這麼多？」

洗臉了。

時訣：「我打開試了一下，灑了一身。」他有點不太滿意似的，「品質不太行啊。」

「灑了？」徐雲妮擰擰蓋子，「我用了很久都沒灑過啊，漏了嗎？」

時訣餘光瞄她，看她認真檢查瓶身的樣子，眉毛微微動了動。

「妳學完校歌了？」他問。

「差不多了。」

「唱一遍我聽聽。」

「算了吧」

時訣：「王泰林沒教好？」

徐雲妮：「不是，是我悟性差。班長，你唱歌好聽嗎？」

時訣：「不如妳最愛的。」

「⋯⋯什麼？」徐雲妮疑惑，「我最愛的？」剛說完，突然想起自己在直播平臺的

ID——最愛泰山辣麒麟。

徐雲妮無奈道：「那都是開玩笑的。」上到三樓，轉進走廊，她又說：「你哥說你在音樂方面的天賦比舞蹈更厲害。」

時訣:「誇的。」
兩人一前一後進了教室。

第十章 表白

不管他想不想展露音樂方面的才能，一眨眼還是到了錄影的日子。

前一天時訣請了假，陪吳月祁去醫院做了一整天的檢查。

吳月祁並不是因為患病後背才這樣，她是小時候從高處墜落，把脊椎摔變形而造成的殘疾，隨著年紀增長，對心肺功能的影響和脊椎神經的壓迫越來越嚴重。

取檢查報告是時訣自己去的，他找了醫生，醫生告訴他，吳月祁這種情況吃藥只能暫時緩解，最終還是要靠手術。

「手術安全嗎？」

「她的情況屬於複雜性的脊柱側彎手術，難度稍微高一些，不過整體還是很成熟的。她現在不到五十歲，應該趁年輕早點做了，恢復情況會比較好。」

「沒有。」

「她有醫療保險吧？」

「手術大概多少錢？」

醫生一頓，說：「那這費用負擔可能有點大，這個手術術後療養很重要，要嚴格佩戴輔

具,進行康復功能鍛煉,身邊都離不開人。」

時訣從醫院出來,一邊想著事,一邊順著路往前走。

路過一家咖啡館,正放著音樂。

他停住腳步,思緒也斷了一瞬。

店裡放的是林妍的新歌,這首歌成績還不錯,時訣已經不只一次在外面聽到了。

他在咖啡館門口點了根菸。

旁邊灌木叢裡突然竄過一隻野貓,把路人嚇了一跳。時訣分毫未動,神色冷淡地想著,下次的價格該開得更高一點……

錄影當日。

不枉校長夜夜做法,天氣果然極好。

晴空萬里無雲。

上午做準備,預計下午錄製。

中午放學的時候,徐雲妮被叫去幫忙布置合唱臺,表演區域就在升旗臺前,臺子後面拉好了橫幅,前面的三角鋼琴也抬出來了,樂團座位都放置在鋪好的紅地毯上,還有音響和攝影設備,電線拉得滿地都是。

中午午休的時候,時訣就被年級主任叫走了。

徐雲妮吃了頓簡餐，跟著助手小組的人一起忙了一中午，然後沒她什麼事了，下午第一節課還是回教室照常上自習。

操場上在進行最後的調試。

靠著窗子的同學紛紛向外看，似乎有什麼吸引人的畫面，身子扭得跟麻花似的，笑著互相討論。

窗外時不時傳來傾瀉的琴音。

下課後，華老闆進教室讓參加合唱的人都下樓。

徐雲妮喝了口水潤潤喉，跟著大家一起過去了。

紅地毯上，時訣拿著樂譜，正在跟兩名領唱進行溝通。

三個人都沒有穿校服，做了妝造，兩個男生穿著黑色西裝，女生則是紅色的禮服。

時訣今日的造型看起來比酒館那一晚規矩太多了，只把頭髮捋到腦後，露出額頭和眉眼，一身正裝，沒有戴首飾。

徐雲妮站到自己的位置上，看看樂譜，然後又瞄向斜前方。

同樣是正裝，款式也差不多，但衣服穿在時訣身上，跟他身邊那位領唱的感覺完全不同。

時班長穿什麼都是自己的風格，那麼歪歪一站，衣服敞開著，裡面的襯衫也在進行著某種詭異的堅持，不到最後一刻絕不扣到頭，立著的領口兩邊分開，像朵綻放的百合。

主任和音樂老師在安排隊伍。

錄影很快開始了。

徐雲妮跟王泰林練了校歌，雖然走調，但節奏都準，肌肉反射，跟著大夥一起唱。

她聲音高亢，望著遠方。

有那麼一瞬，她在想，藝術到底是什麼呢？

她還不能完全搞清楚，只是此時此刻，藍天白雲、遠處翠綠的樹冠、近處黑白的琴鍵、流水般的音樂、同學們朗朗的歌聲，甚至校長在鏡頭外慷慨激昂的指揮，這些東西組合在一起，實在使人心中澎湃而澄澈。

歌詞寫得多好……

你我相遇的記憶，

化作滿天星辰，

祝福前行的道路，

閃耀著純白的青春。

一共錄了三遍，長官終於滿意了，解散隊伍。

負責錄音的音樂老師跟時訣還有話說，把人叫走了，徐雲妮和另外幾個小組成員整理場地，其他人都回教室繼續自習。

花了將近兩個小時才收拾完，回教室又上了一節課，就準備放學了。

王泰林過來叫她，說等等一起去吃飯。

第十章 表白

往常約飯都是劉莉來喊她，這次居然王泰林親自來了，而且面帶笑意，心情相當不錯的樣子。

徐雲妮問：「王哥，碰到什麼事這麼高興？」

王泰林說：「沒事啊，走吧，他們已經在外面等著了。」

徐雲妮說：「行，我等等要先去便利商店買點衛生紙和紅筆。」

走廊裡人流攢動，他們說話期間，時訣也回來了。

他那身西裝沒來得及換，徐雲妮叫住他：「班長，你去幹嘛了？」

時訣走過來：「去聽了下音訊。」

「等等還有事嗎？」

「沒了。」

時訣說：「開了，你們在門口等我一下吧。」

「我們要去吃飯，你一起來嗎？你家今天開門了嗎？」

徐雲妮和王泰林一起出了校門，蔣銳和劉莉都在門口，徐雲妮去了趟便利商店，回來的時候時訣也出來了。

眾人一起往常在麵館走。

麵館離學校不遠，一路上小店林立，到了晚上，燈都開了，光影灑了滿地。

路上，他們聊著下午錄影的事。

蔣銳把王泰林叫過去，好像有什麼事，小聲說了幾句悄悄話。

時訣西裝敞著懷，手插著口袋，往前走。

徐雲妮看了他幾眼，感覺他好像有什麼心事，昨天他一整天沒來學校，應該是陪吳月祁檢查了。

也許是結果不太好？

時訣注意到她的視線，看過來。

徐雲妮說：「班長，你這身衣服真好看。」

「哦，」他挑挑眉，「算妳有眼光，這衣服有來歷的。」

前面王泰林一聽，轉過頭看，看著看著直接上手摸了。

「什麼來歷？」他問：「靠！不會是什麼高訂吧？」

「猜對了，我家樓下老劉太太私人訂製，一套七百塊錢呢。」

王泰林哈哈大笑。

其實衣服一眼就能看出不算貴，線頭都露在外面呢。

徐雲妮說：「班長，穿你身上像七萬的。」

時訣：「在這嘲諷我呢？」

「都是實話。」徐雲妮說：「班長穿這種正裝，就是年輕貴氣，風度翩翩，又帶著點神祕感。」

第十章 表白

「我是蓋茨比啊?」

徐雲妮微訝,脫口而出:「你還知道蓋茨比呢?」

時訣瞥她一眼,徐雲妮後知後覺,感覺自己這話說得實在不過腦子,她剛想彌補一下,時訣停下了腳步。

他轉過身,靠近她,稍彎下腰,視線與她相平,「徐雲妮,我還認字呢,嚇到妳沒啊?」

聲音那麼的輕,像逗小孩似的。

他輕呵一聲,直起身。

轉回去的一瞬,風吹動他的黑髮與衣襬,還有稍彎的嘴角。

他的心情明明不好,但依然可以笑出來。

時訣走著走著,發現徐雲妮沒跟上來,回頭看看她,「走啊,怎麼了?」

徐雲妮也不太清楚怎麼了,只能說人的感覺非常的奇特,總會在不經意之間,被某些奇奇怪怪的點戳中。

徐雲妮走向前方。

「班長,你媽媽的檢查怎麼樣?」她問。

「還行吧,跟之前差不多。」

「要怎麼治療?」

「先保守調養看看吧。」

「如果有需要幫忙的地方你就說。」

他看看她：「妳是許願機嗎？什麼事都要找妳說？」

「我是熱心市民小徐。」

「哈。」

時訣能感覺出她有意在寬他的心，抬起大手，在她頭上輕輕按了一下。有點力度，徐雲妮被按得下頷微收，視線落在地上，沒有說什麼。

不多時，幾個人來到常在麵館。

時訣進去後就去後廚幫忙了。

徐雲妮他們找了個空位，桌上菜單一掃，售罄了好多種，看來吳月祁為了照顧身體，有意減少了製作量。番茄牛肉麵也沒了，徐雲妮換了雞湯麵。

大家一邊吃飯一邊聊天，跟平時並無兩樣。

吃到一半，徐雲妮發現其他三人吃得特別慢，問道：「你們怎麼了？」

王泰林：「嗯？什麼怎麼了？」

徐雲妮示意他們的麵碗：「你們吃得怎麼這麼慢？」

「急什麼啊，」王泰林老神在在，「來這又不為了吃東西。」

徐雲妮奇怪：「不吃東西你來幹嘛？」

王泰林舔舔腮幫子，又在那怪笑，旁邊的劉莉也抬抬眉毛，沒出聲，蔣銳則是悶頭吃

第十章 表白

徐雲妮看著他們，終於感覺出一絲不對，「怎麼了？有什麼事嗎？」

王泰林撓撓脖子，隨口道：「沒事啊。」他用手肘碰了下蔣銳，又看他一眼，蔣銳還是悶著頭吃東西。

徐雲妮感覺他熱得整顆頭都紅了。

王泰林看他這樣，噴了一聲，有點恨鐵不成鋼的味道，「你就慫吧。」

蔣銳激烈反對：「我才不慫！」

王泰林：「那你說啊。」

徐雲妮聽得奇怪：「說什麼？」

這邊還沒問出個所以然來，那邊時訣忙得差不多了，從廚房出來。他脫了西裝外套，剩下白襯衫和西裝褲，繫著一條黑色的腰帶，梳著背頭，面龐無遮無擋，乾淨挺拔。

他還是跟上次一樣，拉了旁邊桌子拼過來，坐在王泰林旁邊，然後開始死命往麵碗裡加辣椒油。

旁邊王泰林跟蔣銳嘟嘟囔囔說了一下，然後小聲來了句⋯「去吧。」

蔣銳抿抿嘴，似是下定決心。

「那個⋯⋯」他對徐雲妮說：「能出來一下嗎？」

徐雲妮：「出去？去哪？」

蔣銳沒想到被反問了，結巴了一下，說：「就、就外面，我想跟妳說點事。」

徐雲妮瞧著蔣銳的眼神，一開始還能跟她對視，但很快視線就開始飄忽不定了。他手往旁邊放，好像有什麼東西。徐雲妮往那邊看一眼，發現是個小袋子。

徐雲妮以為裡面裝著書本，就問：「怎麼了？又有不會的題目啊？」

旁邊劉莉忍不住，小聲笑，蔣銳支支吾吾：「不是……」

時訣的特辣素麵已經調好了，瞥蔣銳一眼，隨口道：「臉怎麼這麼紅？不會是要表白吧？」

他說完，就沒人說話了。

時訣用筷子挑起麵條，把辣椒油拌開，攪拌到一半，才注意到這場面的卡頓似的，看看眾人，最後停在蔣銳身上，驚訝道：「……不是吧，我開個玩笑而已。」

王泰林撓撓嘴角，蔣銳一拍桌子，豁出去了，對徐雲妮說：「妳來一下。」然後先一步出了店。

徐雲妮看看門口的方向，然後又看看王泰林。王泰林催促她：「去啊，幹嘛呢？別讓我兄弟等著啊。」

徐雲妮放下筷子出去了。

她一出門，劉莉和王泰林就探身押脖往外面看。

「哎……哎哎，」時訣手肘捅捅王泰林，「要不然我們換個位置？」都快趴他身上了。

第十章 表白

「哦，不用。」王泰林又坐了回去。

「他東西送出去了欸！」劉莉進行現場直播，「好像開始說話了。嘖……蔣銳能不能把頭抬起來啊，本來就不高！」

店外路邊，楊樹下。

徐雲妮看著面前的人。

這應該是她第一次與蔣銳單獨面對面交談，沒想到竟然是這樣的緣由。

有一點很出人預料，就是跟表面的穩妥好學生人設不太相符，徐雲妮其實還挺有異性緣的，可能是性格吃得開？她自己也不清楚，總之，她從小到大被表白的次數還挺多的。

這樣一想，好像前不久她也被表白了？

……那次應該不算吧。

徐雲妮最早被表白要追溯到小學的時候，在什麼都不懂，或者說，什麼都剛剛懂的年紀，她就被他們班的體育股長叫到自行車棚進行了真情告白。

原因是什麼？好像是他們班跟別的班進行足球比賽，裁判亂判，體育股長不滿意，但他嘴笨說不明白，徐雲妮看了比賽，也覺得偏裁嚴重，就幫他去體育老師那討說法。後來他們贏了比賽，沒過幾天，體育股長就把徐雲妮叫去車棚表白了。

那場車棚表白分兩天進行，第一天體育股長向她傳達了自己的意思，徐雲妮完全沒想到

會有這出，當場拒絕。體育股長覺得她的決定太草率了，就讓她回去再考慮一天，明天再給答覆。

徐雲妮回家後把這事告訴父母，李恩穎非常興奮。

「是你們班那個踢球踢得超好的男生嗎？他跟妳表白啦！怎麼樣，妳有感覺嗎？」

「……什麼感覺？」

「人家跟妳表白了啊！妳就沒有什麼想法嗎？」

徐雲妮仔細回憶一下整個事件，她覺得，他們的確透過共同的據理力爭建立起了革命友誼，但是……

徐雲妮實話實說：「我感覺他的感情來得非常隨便，也很幼稚。」

李恩穎無語地撇撇嘴，看看旁邊的徐志坤。

徐志坤對徐雲妮說：「妮妮，妳說的很對，感情不是開玩笑的，因為踢個球賽就跟妳表白，這行為太不負責了。他只想著自己，他這個年紀，有能力承擔戀愛關係嗎？你們再一年畢業就了，畢業之後怎麼辦？」

李恩穎在旁聽得直瞪眼：「我的天，十一二歲的小孩子談什麼能力和責任啊，這是懵懂的青春好不好！」她過來把徐雲妮摟到沙發邊，「別聽妳爸的，他就是不爽有人敢覬覦他女兒。」

徐雲妮說：「我覺得爸爸說的很有道理。」

徐志坤在一旁接著看文件。

「道理歸道理，道理解釋不了一切。」李恩穎摸摸徐雲妮的頭髮，「妳該天真一點，別被妳爸帶成老古董了，人生不是靠道理來體會的。」

對李恩穎的話，徐雲妮不以為然。

她還是覺得，徐志坤的判斷更成熟，更正確。

第二天，徐雲妮再度與體育股長相約車棚。

體育股長表達能力堪憂，他跟她說話甚至比跟體育老師說話時還要結巴，沒有頭緒。到後來，徐雲妮只顧著幫他捋清思緒，然後想盡辦法找到一套既能斬斷他情思，又不會傷害他感情的說辭。

如今，有點昨日重現的意思了。

「……妳怎麼不說話啊？」蔣銳低著頭問。

徐雲妮回神，問他：「你為什麼喜歡我啊？」

蔣銳一愣，小聲說：「不為什麼啊。」

徐雲妮：「因為我幫你解題嗎？」

「啊？」蔣銳摳手，「不是吧……」

徐雲妮對蔣銳全部的瞭解，僅限於「王泰林的跟班」這一個標籤。蔣銳跟著王泰林混，卻完全沒有學到王哥的狂放，甚至不如劉莉豪爽，很容易被搞到面紅耳赤。

「謝謝你喜歡我，但我們還太小了，不夠成熟，還不能承擔這種責任。」徐雲妮再次搬出當年徐志坤的說辭，「而且現在是高三，是很重要的階段。」

蔣銳悶著頭不講話。

「我們可以做朋友，」徐雲妮接著說：「一起努力，至少先把我們現階段該做的事做好，再想別的吧。」

店內。

劉莉說：「哎，回來了回來了！」

王泰林往外看看，問：「徐雲妮呢？」

蔣銳：「她說她先回學校了。」

劉莉問：「怎麼樣？」

蔣銳想想，說：「我覺得還行。」

「哎喲——」王泰林拉著長調，「她也知道不好意思啊！」

店門推開，蔣銳走進來，一屁股坐回位子。

劉莉說：「哎，回來了回來了！」

「她答應了？」

「沒吧，跟我想的差不多，她要以學業為重。」

劉莉頓了頓，問他：「那『還行』在哪呢？」

就像現在這樣。

蔣銳說：「她說可以先做朋友，一起努力，度過高三這個重要階段。」

劉莉「啊」了一聲，蔣銳又說：「那就是升學考之後還有戲嘛。」

劉莉張張嘴，瞄了王泰林一眼，「王哥，你覺得她是這個意思嗎？」

蔣銳：「反正她沒直說不行，我覺得就是這個意思。」

王泰林直白道：「這不是明顯的藉口嘛！」

蔣銳：「我覺得不算是藉口吧，我原本也覺得現在說希望不大，她不是還會轉走嘛，我就想至少先讓她知道，然後等畢業了再說……」

王泰林：「你還要等畢業，這麼長情啊？」

蔣銳嘟嘟囔囔地「嗯」了一聲。

王泰林瞧著他這樣，歪著頭問：「我都沒問過你，你看上她什麼了？」

蔣銳看著麵碗，想了一陣子，忽然說：「我們口味特別一致。」

「嗯？」

「我們吃麵都喜歡瘋狂加醋和香菜。」

王泰林震驚道：「他媽的……你逗我呢？就這？」

「也不全是，哎，她人很好啊，長得也挺好看的。」

「好看？」王泰林抬起一側眉頭，仔細品了品，「嗯，確實還可以。」

時訣吃完麵，抽出一張衛生紙，把嘴擦乾淨，又把桌子擦了幾下，攢成一團，扔到麵碗

「而且我覺得她性格好，很有主見。」蔣銳接著誇，「有時候看起來蠻厲害的，但其實特別善良，給人感覺特別安心。」

「哎呦喂……」劉莉在一旁聽不下去了，「我要肉麻死了，那你現在要怎麼辦嘛！自己單相思啊！等著升學考結束？她要是真的轉走了你就自己在這做白日夢吧！就你那分數，你們能考到同一個地方嗎？一旦異地了還表白個屁！」

蔣銳垂下頭，劉莉說：「你要是真的這麼放不下，要不然我們就趁她還沒走，一起幫你努力一下？」

蔣銳一聽，不由坐直了，「你們怎麼幫——」

「沒必要吧。」

他的話被時訣打斷了。

蔣銳轉眼過去，時訣看著這邊，神色淡淡的：「死纏爛打就免了。」他朝王泰林抬抬頭，「是吧？」

「嗯，」王泰林是很認同這個觀點的，「這東西還是要你情我願。」

蔣銳低著頭，十分傷心的樣子。

時訣看他沮喪的樣子，勸說道：「打起精神來，再好的人，不喜歡你也沒用，熱臉貼冷屁股有什麼意思，還是對自己好點最重要。」

第十章 表白

蔣銳聽得懵懵懂懂：「我知道，我就是覺得她……」

「你覺得什麼，」時訣說：「你就是一時上頭，把她美化了，哪有你說的那麼好啊。」

他說著話，身子向著裡側，沒注意其他三人的視線都往同個方向動了動。

蔣銳「哎」了一聲，但他聲音太小了，時訣完全沒聽到，手指頭指了指他，接著說：

「還說她好看，好看在哪啊？你濾鏡太厚了，看她那故作正經的樣子，多無聊啊，跟她開個玩笑都不一定能聽得懂。」

「什麼玩笑我聽不懂。」

時訣猛地回頭，徐雲妮就站在後面，垂眸看他。

劉莉問：「……妳怎麼回來了？」

徐雲妮說：「我買的東西忘記拿了。」她從座位上拿起便利商店的袋子，裡面裝著她放學買的衛生紙和紅色簽字筆。

她又看了時訣一眼，時訣沒說話。

她看著他的眼睛，說：「那我先回去了，你們接著聊。」然後直接走了。

店門關上數秒，桌上同樣沒人說話。

王泰林斜眼看時訣，後者舌頭舔舔口腔，盯著門口不言語。

劉莉兩隻手擋擋面容，小聲說：「呀，有點尷尬啊……」

王泰林回想剛才的畫面，忍不住抿了抿嘴，跟蔣銳說：「……這他媽不比你表白有意思多了？」

時訣一言不發。

蔣銳看著時訣不善的側臉，試著開導他，說：「沒事的，徐雲妮人很大度的，她不會很生……」他說一半，但見時訣看了過來。

時訣神色舒展，嘴唇輕啟，下頜稍有點錯位，唇角似乎還帶著點森森的笑意似的。

「你說什麼？」他輕聲問。

那一股霸凌癮上來了，蔣銳被他看得害怕。

這翻臉未免太快了。

蔣銳覺得自己有點冤，講道理，這不能怨他吧？

「我、我剛才提醒你了啊，是你沒聽見……」

時訣挑挑眉毛：「是嗎？」

蔣銳避開視線。

「哎，」王哥不得不出來維護小弟了，「別嚇唬他了，他表白失敗就夠倒楣了。」

時訣看著緊張兮兮的蔣銳，最後，驀然一笑，說：「沒事，我尷尬點就尷尬點，你不難過了就行。」然後起身收拾碗筷，去了後廚。

第十章 表白

安靜的教室內。

徐雲妮坐在那寫試卷。

今天除了她以外還有幾個同學在自習，前座的楊夢莎也在，學到中途，她回頭小聲問：

「徐雲妮，我能問妳幾題嗎？」

「數學的，有點不明白⋯⋯」

楊夢莎把習作拿過來，徐雲妮掃了一眼，微微一頓。

世上題目千千萬，偏偏又是數列題。

⋯⋯又？

徐雲妮把題本轉過來，身體也側過來些，跟楊夢莎講道：「妳看，如果等差數列的題目只有一個條件，先把它看作X⋯⋯」她拿著筆，一邊說一邊寫，「⋯⋯不過這個是常數列，然後這裡，3X等於9，X⋯⋯」

「可以，什麼題？」

可能是題目簡單的緣故，徐雲妮在幫楊夢莎講數列題的時候，有點一心二用，想著之前幫蔣銳講的那道題，和它引發的一連串後續事件。

她講到一半，喝了口水，順便告訴自己應該更加專注一點。

她放下水瓶，再看回來的時候，跟楊夢莎眼神對上了。

徐雲妮問：「前面講的沒聽懂嗎？」

楊夢莎：「不是……」她聲音很小，徐雲妮稍微湊近了點。

楊夢莎問：「徐雲妮，妳跟時訣熟嗎？」

徐雲妮：？

徐雲妮：「還行吧，也不算很熟，怎麼了？」

「我看之前彩排的時候，他在操場上叫妳。」

「那次是有點事情說。」

「你們……」她聲音越說越小，徐雲妮都快貼她身上了，才聽清楚，「你們有什麼特殊關係嗎？」

比起這個問題的內容，徐雲妮腦子裡更先冒出來的念頭是——數列題的後續走向永遠這麼出人預料。

「不是，」她解釋說：「我們就是普通朋友，因為丁可萌那件事，我們才熟了一點。」

「妳跟丁可萌還有聯絡啊？」楊夢莎似乎很不喜歡丁可萌，「她特別不老實，被抓了只會裝無辜，沒被抓就什麼事都敢幹，她都偷拍時訣好久了，是時訣對女生太溫柔了，才沒跟她計較。」

徐雲妮「嗯」了一聲，說：「我們先講題目吧。」

「稍等一下……」楊夢莎說完，回頭從自己書桌裡取出一樣東西，放到徐雲妮的桌面

一個天藍色的牛皮紙斑駁浮雕信封，非常漂亮。

一看就是情書。

徐雲妮小聲說：「今天這是怎麼了？空氣裡是被誰下了春藥嗎？」

楊夢莎說：「倒是可以，但妳為什麼不自己給他？」

徐雲妮說：「妳能幫我把這個給他嗎？」

「我不想自己給⋯⋯」楊夢莎趴在徐雲妮桌面上，一雙手臂把擺設一樣的試卷都壓翹邊了。

徐雲妮拿起這漂亮的信封，正反面看了看，說：「妳跟他們的說法正相反。」

「⋯⋯誰？」

「別人說的，」徐雲妮沒有供出王泰林，「時訣這方面人很冷，他以前在學校不是交往過一個學姐嗎？後來分手了，那女生很傷心，都不念書了。」

「誰說他們交往了？」楊夢莎直起身子，「從來沒說交往好嘛，她後來簽公司了才不來學校的。」

「這樣嗎？」

楊夢莎憤憤道：「時訣找她合作而已，她自己想多了，入戲太深，到處跟人說這說那，時訣很討厭這種糾纏不休的關係，就不再找她了。後來那女生去娛樂公司面試，用的還是時

訣寫的歌。她把自己放原創了，進公司之後才告訴時訣，時訣也沒說什麼。

楊夢莎的指頭輕輕點了點信封：「這其實沒署名。」

臂上，「時訣一點都不冷，他是個很溫柔的人。」楊夢莎枕在手

「為什麼？」

「我不想讓他知道，但我還是想給他。我怕沒名字的禮物他容易丟掉，所以希望跟他關係近的人拿給他，告訴他不要丟。」

「我跟他關係也不算很近吧。」

「很近了，」楊夢莎小聲說：「我覺得妳很厲害。」

楊夢莎說著話，悄悄看著徐雲妮。

在徐雲妮剛轉學過來的時候，楊夢莎感覺她是個內斂的女生。她被班導師安排坐在她身後，每天只專注於念書。楊夢莎一開始覺得，也許後面她們會因為相似的性格而走到一起。

但隨後她發現，情況好像不是這樣。

她不知道到底發生了什麼，但徐雲妮幾乎是一夜之間就跟全學校最張揚的人打成了一片，不管是外班的、還是本班的，後續她甚至在學校樂團和學校長官那邊都掛了名。

她們的性格其實完全不一樣。

徐雲妮答應下來：「好，我會幫妳給他的，我儘量告訴他好好保存，但我也不確定他會怎麼處理。」

第十章 表白

「好的，謝謝妳，」楊夢莎又叮囑，「千萬別說漏嘴是我送的。」

徐雲妮「嗯」了一聲。

其實她很想問楊夢莎，既然時訣在妳口中那麼溫柔，為什麼還要擔心禮物會被丟掉，為什麼連情書都不敢署名？

但她最終還是沒問，她覺得這問題有點太殘忍了。

晚自習結束了，楊夢莎看起來整個自習的任務就是這封無名的情書，她交代好後，人就走了。

徐雲妮收拾了書包，也離開了。

她走在通往校園外的小路上，學校裡的燈已經關得差不多了，校外的方向倒是越發燈火通明。

出了校園，她準備去路邊搭車。

「哎。」

身旁一聲呼喚。

徐雲妮轉過頭，時訣坐在路邊的花壇旁，那套正裝已經脫了，換成一身黑色運動服，他常穿的款式。

校外比校內亮多了，把他照得一清二楚。

他應該洗過澡了，每次剛洗過澡，都像開了高清鏡頭一樣，白得泛冷光。

徐雲妮走過去，站到他面前，問：「班長，你怎麼在這？」

時訣：「吃完飯，沒事了出來轉轉。」

周圍店鋪林立，亮得如同白晝，照得他唇紅齒白，只是跟陽光不同，這種光裡少了點自然的暖意，而多了幾分人為的精雕細琢，雙眸明亮有神。

時訣問道：「晚自習上完了？」

徐雲妮沒說話。

時訣疊著腿，一手拄著旁邊，一手放在膝蓋上，稍微歪過身子，點點她，像模像樣道：「好好讀書沒？」

「班長。」

「嗯？」

「你想道歉可以直說。」

時訣一頓，笑了出來：「真生氣了啊？」問得興致勃勃的。

其實也沒有。

時訣說：「都是反話，說給傻子聽呢。」

「誰是傻子？」徐雲妮問，「蔣銳？」

「是啊，難過的傻子，妳走之後他都哭了。」

「……他哭了？」

第十章 表白

時訣指指胸口：「在心裡，我幫妳安慰他一下。」

滿嘴瞎話。

但時訣的特點就在於，不管說再離譜的話，也從來不會心虛，他一直看著徐雲妮，視線沒偏過半分，手指在膝蓋上彈琴似的來回折了幾輪。

反倒是徐雲妮，目光發空，不知道在想什麼。

「不過，」時訣抬抬下巴，「原來不答應也能收禮啊。」

徐雲妮低頭，看著手裡拎著的小袋子。

這是蔣銳給她的。

時訣伸手：「給我看看。」

「這不方便吧。」

「有什麼不方便的？」時訣說：「我白幫妳安慰他了？」

在徐雲妮看來，時訣有時候非常的狡猾，說起話來，啖以甘言，圓滑伶俐，就像狐狸一樣。

徐雲妮心裡嘆了口氣，把袋子遞給他，然後往前兩步，坐到他旁邊。

時訣打開袋子，裡面有一盒巧克力和一管口紅。

徐雲妮側過頭，時訣正在把玩那管雜牌口紅，看了看貼著的印刷標籤。他神色很淡，淡

得有點發冷，最後手腕一動，口紅被輕盈地丟回袋子，就像他丟擦桌子的衛生紙一樣。

徐雲妮聽著口紅落袋的聲音，腦子裡不由浮現出剛才他在麵館裡哄蔣銳的樣子。

如果剛才他說蔣銳是個傻子的話被蔣銳聽見，他會做出解釋嗎？

肯定不會的。

也許還真就像楊夢莎所說的，她跟他的關係是比較近的。

但這仍然無法改變他性格中冰白的底色。

時訣拿出巧克力，順理成章地拆開，取了兩塊，遞給徐雲妮一塊，問：「吃嗎？」

徐雲妮接過，拆了包裝放入口中，然後把書包拿到前面，取了一樣東西給他。

時訣低頭，看見了一封漂亮的信封，他稍微頓了頓，眼神挑向徐雲妮。

「妳的？」

「之前有人托我給你的。」

「哦。」時訣接過信封，「誰啊？」

「她不想你知道，裡面也沒寫名字，但她希望你不要丟掉。」

時訣沒說什麼，拿著信封正反看看，然後折起來揣進口袋裡。

徐雲妮一直看著，在他折紙的瞬間，她腦海裡忽然冒出楊夢莎對他的評價，不由「呵」了一聲。

第十章 表白

時訣看過來:「怎麼了?」

徐雲妮:「送你信的女生,說你是個溫柔的人。」

時訣:「她還挺懂。」

徐雲妮接著說:「除了她以外,還有人說你冷酷、薄情、外熱內冷,只想著自己。」

時訣頓了頓,沒問這些是誰說的。

「那妳覺得呢?」

徐雲妮歪著頭打量他,琢磨了一下,說:「我覺得,這些詞也不矛盾吧。」

時訣沒有說話。

徐雲妮忽然想到什麼,說:「哦,對了,班長,你媽媽應該算是骨科問題吧?」

話題跳得太快,時訣差點沒反應過來。

「是吧,脊椎問題。」

「要動手術嗎?」

「還沒定,她肯定不願意,嫌開銷大。」

「沒有保險?」

「她沒保過,以前在老家,有點頭疼腦熱就找熟人弄點藥,通常都是硬抗的。也就來了這邊之後,偶爾還能去趟醫院。」

「保險要補繳,一定要趁早,阿姨的情況以後肯定用得上的。」

「嗯。」時訣從口袋裡掏出一根菸點上，「我這幾天在弄。」

徐雲妮看著他點菸的樣子。

她偶爾會覺得，時訣的冷漠是事出有因，想一想，他不過十九歲，需要他考慮的事未免太多，剩下那麼一點點的空間，只留給自己也情有可原。

「你還記得小帥吧，」徐雲妮說：「他爸爸是做醫療器械的，跟本地的醫院很熟悉，阿姨要是想做手術，我幫你問問他，能不能聯絡到好一點的醫生。」

時訣拿下菸，看著她。

「徐雲妮。」

「嗯？」

「妳是對所有人都這樣嗎？」

徐雲妮一頓：「什麼？」

他很確定她聽清了他的話，沒有再重複。

徐雲妮有點沒摸清這問題的緣由，頓了好久沒開口。

時訣又說：「妳要是都一視同仁，沒別的意思，那下面的話我就不說了。」

徐雲妮下意識問：「你要說什麼？」

他說：「妳先回答我。」

徐雲妮覺得就算他不說，她也能猜出內容。

第十章 表白

她忽然覺得有點混亂。

「不是，你……」她突然憋出一句，「你是認真的嗎？不是喜歡唱歌好的人嗎？」

時訣：「跟我在一起，你唱歌就會好的。」

徐雲妮：「王泰林教了我很久，他說我沒救了。」

時訣笑著說：「他算什麼。」

他的神情輕鬆平緩，一邊抽菸一邊說話，像在閒聊一樣。雖然這話題的起因和發展都跟唱歌扯不上半毛錢關係，但他說了，他便照常往下接著。

之前那次，他光顧著發愣，她什麼都沒注意到。

那次光顧著發愣，他的聲音也像現在這樣柔和嗎？

她的視線轉回前方。

「時訣。」

「嗯。」

既然他是認真說的，那她也該認真回覆。

「我們……」徐雲妮想了想，「我們連做朋友都不夠相互瞭解，而且……就目前知道的內容裡，我們兩個的興趣愛好，生活圈子，包括目標大學所在地，還有未來的發展方向，完全是不一樣的軌跡。」

時訣沒說話，徐雲妮看過來。

他還是很平靜的神色，彷彿完全不在意她說的這些事。

「妳只說有沒有看上我，」他說：「其他的我來考慮。」

你怎麼考慮？

她說的所有一切都是客觀存在的事實，他還能怎麼考慮——理智是這樣告訴徐雲妮的。但是，她看著眼前人姣白俊雋的面龐，有那麼一瞬間，她腦海中，那一條原始的、天真的、沒經過各種理論加工，獨屬於一個十七歲女生的神經，確確實實因為這句話而跳動了。

徐雲妮緩吸了一口氣，偏過頭，拿起書包和袋子。

她把書包背上肩，站起身，走了兩步，又回頭。

時訣也看著她。

徐雲妮說：「班長，我們就做普通朋友吧。」

他也沒表示什麼，靜了一下，才說：「好，聽妳的。」

徐雲妮：「那我先走了，明天見。」

他抬抬下巴。

徐雲妮順著小路繼續往前走。

周圍逐漸嘈雜起來，其實剛才一直有人車流動，只是到了這時候，她才聽到它們的聲響。

剛才她的耳朵裡，只有他的聲音。

第十章 表白

徐雲妮看著地面的磚瓦，心中有種莫名的直覺，這件事已經結束了。

他不會再問下一次了。

她抿了抿嘴，忽然覺得胸口的地方有點說不出的感覺。

口中的巧克力早就吃完了，徐雲妮沒有注意包裝，不知道蔣銳到底送的是什麼，現在回味一下，大概是黑巧克力，一點點的甜，一點點的苦澀，相互攪糅，最終形成了複雜的平衡。

──《霓虹星的軌跡》（上）完──

──敬請期待《霓虹星的軌跡》（中）──

高寶書版 致青春

美好故事
　　　　觸手可及

蝦皮商城同步上架中！

https://shopee.tw/gobooks.tw

高寶書版集團
gobooks.com.tw

YH 191
霓虹星的軌跡（上）

作　　者	Twentine
責任編輯	吳培禎
封面繪圖	Xuan Qin
封面設計	張新御
內頁排版	賴姵均
企　　劃	何嘉雯

發 行 人	朱凱蕾
出　　版	英屬維京群島商高寶國際有限公司台灣分公司 Global Group Holdings, Ltd.
地　　址	台北市內湖區洲子街88號3樓
網　　址	gobooks.com.tw
電　　話	(02) 27992788
電　　郵	readers@gobooks.com.tw（讀者服務部）
傳　　真	出版部(02) 27990909　行銷部 (02) 27993088
郵政劃撥	19394552
戶　　名	英屬維京群島商高寶國際有限公司台灣分公司
發　　行	英屬維京群島商高寶國際有限公司台灣分公司
法律顧問	永然聯合法律事務所
初版日期	2025年03月

原著書名：《霓虹星的軌跡》由北京晉江原創網絡科技有限公司授權出版。

國家圖書館出版品預行編目(CIP)資料

霓虹星的軌跡 / Twentine著. -- 初版. -- 臺北市
：英屬維京群島商高寶國際有限公司臺灣分公司，
2025.03
　　冊；　公分. --

ISBN 978-9626-402-216-3(上冊：平裝). --
ISBN 978-626-402-217-0(中冊：平裝). --
ISBN 978-626-402-218-7(下冊：平裝). --
ISBN 978-626-402-219-4(全套：平裝)

857.7　　　　　　　　　　114002846

凡本著作任何圖片、文字及其他內容，
未經本公司同意授權者，
均不得擅自重製、仿製或以其他方法加以侵害，
如一經查獲，必定追究到底，絕不寬貸。
版權所有　翻印必究